Ohnule

달
돌
이

오느레 산문집

달
돈
이

추천사

글을 쓰고, 그 글을 다른 사람과 나누는 일은 가슴 두근거리는 일이다. 자신의 생각과 감정을 글자로 형상화하는 일은 나와 세계를 새로 발견하는 일이며, 이 과정에서 빚어진 문장들은 다른 이의 마음을 울린다.

가천대학교 한국어문학과 책 출판 소모임 '오느레'에 속한 14명의 저자들은 '명과 암'을 주제로 서로의 삶을 진솔하게 표현하고, 함께 나누었다. 저자들은 '글'이라는 문을 통해 서로의 세계를 넘나들며 함께 성장했다. 이제 우리도 이 책을 통해 그 경험을 나누게 된다.

밝음과 어둠은 삶을 명쾌하게 설명하는 단어 같지만, 사실 삶은 그렇게 분명하게 나뉘지 않는다. 삶은 복잡하고 연속적인 세계여서 명확하게 파악하기 어렵다. 이 책의 목차는 '명'과 '암'으로 나뉘지만, 저자들의 글은 그 사이에서 진동한다. 저자들은 밝음 속에 숨겨진 어둠을, 어둠 속에 망울진 빛을 응시함으로써 삶의 모호함과 의미를 탐색한다.

직시적 용법을 제외하면, 이 책에서 가장 많이 등장하는 명사는 '빛'이다. 그리고 이 '빛'은 마냥 긍정적이지 않고, '어둠'과 함께 할 때 비로소 의미를 갖는다. 빛은 단순한 희망의 상징을 넘어서 있다.

저자들은 '빛'이 보이지 않는 오늘에도 '빛'날 날을 기다리고, 어둠과 빛이 섞인 새벽의 시간을 대학생으로서의 성장에 빗대며, 명징한 '빛'의 세계에서 오히려 방황하게 되는 심정을 토로하고, 한곳에 머물지 않고 온 세상으로 번지는 빛을 통해 자신이 바라는 삶을 그리고, 어둠이 있을 때 빛이 있다는 인식을 드러내고, 어둠이 없는 빛은 환상이며 결국 어둠 속에서 다시 찾는 빛이야말로 의미가 있다는 역설적 인식을 드러낸다.

이처럼 이 책은 청년들이 마주하는 다양한 현실적 어려움과 내면에 품은 꿈 사이의 괴리를 섬세하게 포착한다. 빛과 그림자가 공존하는 이 이중적 공간에서 청년들의 내적 갈등과 외부 세계와의 상호작용이 탁월하게 묘사된다. 이 책을 읽으며 우리는 각자의 내면과 외부 세계 사이의 미묘한 진동을 공유하고, 이를 통해 삶의 다채로운 빛깔을 인식한다.

'오느레'의 이야기를 들으며, '나'의 이야기에서 '우리'의 서사로 나아가는 여정을 발견하게 되기를 희망한다.

교수 김진규 (가천대학교 한국어문학과)

목차

명(明)

목차

암(暗)

각 글에는 작가들의 추천 노래가 있습니다.
함께 즐겨주시길 바랍니다.

명

우리라서 힘든 것이 아니라, 노력하고
있는 우리이기에 힘든 것처럼.

♫ 아이유- Celebrity

별밤

김동규

역시, 별이 아니라 인공위성이었던 걸까?

어제까지만 해도 희끄무레하게 보이던 별빛 같은 것이 오늘은 좀처럼 보이지 않는다. 어쩔 수 없는 일이라고 생각하며 창문을 닫는다. 거리 곳곳에서 스스로를 뽐내고 있는 가로등과 네온사인 덕분에, 도시는 밤이 되어도 낮인 양 환하기만 하다. 덕분에 먼 옛날부터 밤하늘을 제 집이자 일터로 삼아 왔던 별들은, 하루아침에 모든 걸 잃고 실업자가 될 위기에 처해버렸다.

그들의 몇 없는 직장인 천문대에서는 점점 더 치열한 경쟁이 벌어진다. 특히나 요즘같이 취업난이 심한 시기에는 일자리를 구하는 것이 정말 어렵다. 사람들의 눈에 든 소수의 별만이 별자리판에 기록되거나, 천체망원경의 조명을 받을 기회를 얻는다. 광공해가 점점 더 심해지는 탓에 1년 중에 실제로 근무해 볼 수 있는 날도 며칠이 고작이다. 그런데도 매일 출근을 하겠다는 별들은 계속해서 천문대로 몰려든다. 지금 와서 생각해보면 몇 년 전 천문대에 견학을 갔을 때, 접안렌즈 너머의 작은 별들은 내게 힘든 마음을 털어놓고 싶었을지도 모르겠다.

온몸을 불살라도 아무것도 비출 수 없는 슬픔을, 너희는 아느냐고.

걷고 싶어서 걸은 것뿐인데, 그 길 자체를 부정당하는 슬픔을 아느냐고.

하지만 별들은 내게 아무런 말도 걸어오지 않았다. 그들은 그저 묵묵히 제 자리를 지키고 있을 뿐이었다. 모두가 망원경 앞을 떠나는 동안에도 아무런 기색을 내보이지 않았다. 차창 밖의 하늘이 점점 희미해지고, 가로등과 네온사인에 다시 자리를 빼앗겨 모습을 감출 때까지. 그래서 이 글을 쓰기 전까지도 잠시 잊고 있었다. 희뿌옇게 변해버린 저 밤하늘 뒤편 어딘가에는, 여전히 스스로를 연료로 삼아 빛을 내고 있는 별들이 있다는 것을.

별들은 지금까지 한순간도 포기한 적이 없었다. 멀리서 보내는 별빛이 밤하늘에 닿지 않아도, 그들은 하루도 빠지지 않고 매일 출근하면서 계속 밤하늘의 문을 두드리고 있다. 비관적인 시선이나 어설픈 연민은 노력을 멈추지 않은 이들에게는 별 도움이 되지 않는다. 앞으로 걸어가야 할 길이 아무것도 보이지 않는 어둠 속이라고 하더라도, 믿고 기다려주는 것이 더 중요하다. 천문대에서 내가 별들에게 건네야 했던 말은, '빛을 내느라 많이 힘들지'와 같은 위로보다는 '언젠가 밤하늘에서 빛날 수 있는 날이 올 거야'라는 응원이었어야 했다.

별은 여전히 별이니까. 별은 여전히 빛나고 있으니까. 밤하늘에서 보이지 않는다 해도, 사람들이 찾지 않는다고 해도. 바뀌어야 할 것은 아무것도 없다. 아무리 힘든 일을 겪어도 그들의 본질은 변하지 않는다. 본질 자체에 대한 공감보다 본질을 향한 노력에 공감해야 하는 이유가 여기에 있다. 이름이 누군가에게 불리지 않아도 우리는 여전히 우리인 것처럼. 우리라서 힘든 것이 아니라, 노력하고 있는 우리이기에 힘든 것처럼.

별밤, 본래는 밤하늘에 별이 총총히 뜬 날을 의미하는 단어다. 사전적 정의를 충실히 따른다면 오늘날의 우리로서는 사용할 일이 없어야 하지만, 나는 새로운 관점에서 이 단어를 바라보아야 할 필요가 있다고 생각한다. 인지하지 못하고 목소리를 듣지 못할 뿐, 별들은 지금 이 순간에도 하늘에 총총히 떠 있지 않은가. 단순히 밤하늘이 흐릿해졌다는 이유만으로 그들의 노력을 무시해서는 안 된다. 보이지 않는 곳에서도 끊임없이 노력하고 한 걸음씩 발을 내딛고 있는 모두가 인정받을 자격이 충분하듯이, 별들에게도 그럴 자격이 주어져야 한다.

다시 창밖을 바라보았다. 조그마한 별빛 하나가 나에게 말을 걸어오고 있었다.

별빛이 보이지 않는다고 해서, 실망하지는 말아줘.

우리들이 묵묵히 자리를 지키는 한

오늘도, 별밤이니까.

살아 있는 지금을 보내는 것.
절실하고도 행복하게.

♬ 악뮤- 초록창가

최선인 시간

김민지

전등을 켠다. 켜지 않아도 내부는 환하다. 반사된 빛이 커튼 사이로 들어온다. 갈색 바닥에 하얀 줄기가 보인다. 방에 있는 익숙한 것들이 희다. 나와 함께 시간을 먹은 물건들이 자기 자리에서 숨을 쉰다. 그들을 관조하면서 준비한다. 다시 만나자는 소원을 흘리고 밖으로 나선다. 바깥세상의 공기를 온몸으로 받는다. 태양과 계절이 섞인 온도를 느낀다. 하얀 줄기가 세상에 퍼져 있다. 하루의 시작이다.

시간이 폭포처럼 쏟아진다. 상부에 있는 모래가 하부로 전부 떨어져 사막만큼 높아진다. 모래가 모두 내리고 나서야 시간이 멎는다. 그렇게 쌓인 모래에 시간만 있지 않다. 이를 배경 삼은 각자의 모습이 입자 하나하나에 새겨져 있다. 제한된 시간인데도 무수한 모습을 담는다.

거꾸로 세우지 않는 이상, 시간은 계속 흐른다. 멈추어 달라는 외침과 절규, 간곡한 마음 따위 알아주지 않는다. 그게 섭리인 것을 오래도록 몰랐다. 지금이, 나의 옆에 있는 사람이 영원할 거라고 믿었다. 곧, 나는 과도기에 처했다. 믿음은 정반대의 모습으로 확신이 되었다. 시간이 많다는 건 순 착각이었다. 하루의 시간은 정해져 있다. 무엇을 하든 오늘은 지나고 내일이 온다. '지금'은 반드시 일시적이다. 그러니 나는 흐르는 모래에 파묻혀 사는 것에 불과하다. 문득 인생이 부질없다고 느꼈다. 중력처럼 거스를 수 없는 운명이 세상을 지배하고 있으니까. 인생은 그 한계에 갇힐 뿐이니까. 그러한 세상의 이치를 바꾸고 싶었다. 나를 지배하는 섭리라도 깨뜨리고 싶었다.

살아 있는 지금을 보내는 것. 절실하고도 행복하게. 그것만이 나의 방법이라고 믿고 있다. 시간에 담을 모습은 오롯이 나의 선택으로 이루어진다. 나는 내일을 어떻게 보낼지 오늘, 그보다 더 오래전에도 생각한다. 그중 가장 나은 것을 선택하고 눈을 감는다. 하늘을 덮은 까만빛이 하얀빛으로 변할 때를 기다린다. 눈을 뜬 순간부터 그 계획을 위한 시간이다. 좋아하는 것을 보고, 듣고, 느끼면서. 덕분에 나는 과도기에서 성장기로 접어든다.

시간을 거스를 수 없다면, 나를 거스를 수밖에 없다. 운명에 덤빌 힘이 없으니, 이를 나에게 발휘해 순응하기로 한다. 그 힘은 시간을 먹고 자란다. 나의 키만큼 자라면 비로소 발휘할 수 있다. 지금은 아직 성장하고 있어 완전히 쓸 수는 없다. 이는 감당할 몫이면서 희망적인 뜻이다. 미약하더라도 힘은 있으니까. 얕은 곳에서 충분히 드러나고 있다. 오늘을 사는데 그것만으로 족하다. 하나씩, 최선으로 보내려는 나를 지켜보면서 정진한다. 시간을 온전히 나에게 쓸 때까지. 계속. 그러다 어느새 힘이 나의 옆에 서 있을 거라고 믿는다.

전등을 켠다. 오늘의 계획을 떠올린다. 함께 시간을 보낼 물건들을 관조한다. 하얀빛에 비쳐 색깔이 환히 보인다. 한 줄기의 깊은 빛이 시간에 스미기를,

잘 퍼져 최선을 향한 힘이 모이기를. 바라는 날이 모이고 모인다. 그렇게 인생이 만들어진다.

불꽃이 하늘에만 폈다고 생각했는데,
신기하게도 모르는 사람들이 진심으로
즐거워하는 모습이 참 예쁘더라.

♫ 계절범죄 - Miiro feat. 새빛

불꽃

김수아

요즘 밤공기가 차다. 뺨을 간질이던 여름 바람은 기억 속으로 떠나고 가을바람이 내 얼굴을 찰딱찰딱 만지다 지나간다. 짓궂고 예민한 계절이다. 이어폰을 끼고 어두운 거리를 걷다 아파트 단지를 벗어나니 환한 불빛이 보인다. 날은 빨리 지는데 상가는 그대로다. 아직 한낮인 상가 건물을 지나자 눈이 흐려졌다. 쨍한 LED 불빛이 눈을 흐리며 피어나 저물기를 반복했다. 흐릿한 눈으로 본 거리의 불빛이 사방으로 번져 물결을 퍼트렸다. 시끌벅적하고 쨍한 불빛들 사이에서, 친구들과 떠났던 여행이 생각났다. 바닥에 부딪히는 신발 소리가 3개로 늘어났다. 무더운 여름에 있었던 여행이었다.

순탄치 않은 여행이었다. 같이 떠나기로 한 친구들은 나 포함 4명이었고, 두 달 전부터 갈 거냐, 말 거냐로 소음이 있었다. 결국 가기로 마음먹었을 때, 비행기 값이며 숙소 비용도 전부 오르고 말았다. "그러게 빨리 하자고 했잖아~!" 유독 계획적인 친구가 농담 반 진담 반으로 우리에게 화를 냈다. 그렇게 달리는 시간 속에서 정신 차려보니, 우리는 인천 공항 앞에 서 있었다.

공항에는 사람이 정말 많았다. 귀에 스치는 생소한 외국어, 범퍼카처럼 돌진하는 캐리어들을 조심조심 피해서 겨우 비행기에 탔다. 비행기 안에서는 그냥 자버렸다. 아침 4시에 일어나서 준비했으니 뻗어버리는 게 당연했다. 건어물 3개가 좌석에 붙어서 흔들리던 게 얼마나 웃겼는지. 그 후 비행기가 착륙하고, 거지꼴로 뒤집어진 머리를 정리했다. 내리자마자 반겨주는 마리오 캐릭터들과 포켓몬을 보며 흥분한 친구가 "진짜 일본 같아!"라고 소리쳤다. 그 옆에 "멍청아, 진짜 일본이란다."라고 말한 친구가 핸드폰으로 맞는 것까지 완벽했다. 일본공항에서 캐리어를 찾은 우리는 기차를 타고 예약한 숙소로 향했다. 아사쿠사역에서 내려서 캐리어를 끌고 가는데, 햇빛이 정수리에 내리꽂혔다. 레이저로 지지는 듯한 햇빛이 내 캐리어를 녹여버릴 것 같았다. 호텔은 바로 역 앞이었는데도, 나와 친구들은 호텔에 도착하자마자 말린 개복치 꼴로 이상한 소리를 내며 침대 위로 쓰러졌다. 일본의 여름은 쪄 죽기 좋다고? 쪄 죽기는커녕 훈제구이가 될 뻔했다.

대충 망가진 몰골을 정돈하고 이목구비도 예쁘게 조각한 우리는 첫 번째 일정을 소화하기 위해 역으로 향했다. 이동 중에도 머리를 쓸고 화장을 살피는 친구들의 모습에 나는 경악했다. 이제껏 봐온 내 친구들이 아니었다. 어느 양반집에서 일하는 우람한 돌쇠였던 애들이 갑자기 양반집 규수로 변했다. 물론 여기서 내가 제일 오래 걸렸고 화장을 제일 빡세게 했지만, 그래도 그 충격을 잊을 수 없다. 원래라면 다들 귀찮아서 화장을 안 하거나, 화장하는 친구 옆에서 훈수 두면서 실낄거렸는데. 다 같이 거울 앞에서 화장하는 광경이 생소했다.

일본 지하철 노선도를 확인하고, 두근거리는 마음으로 지하철을 탔다. 일본은 지하철에 블라인드가 있다는 사실을 알았는가? 나는 그날 처음 알았다.

사소한 게 너무나 신기하게 다가왔고, 창문 쪽을 힐끔힐끔 쳐다보기도 했다. 그러나 그 신기함은 "와⋯. 저거 기대서 자기 불편할 듯. 다른 사람 비듬 떨어지면 어떡해?"라는 친구의 말을 듣고 팍 식어버렸다. 블라인드에 가려진 태양 빛이 어째 더 누렇게 보였다.

우리가 첫날에 갔던 곳은 "가쓰시카 납량 불꽃축제"(정확한 명칭은 잘 기억나지 않는다) 였다. 코로나 이후로 3년간 열리지 않다가 이번 연도에 다시 열린다고 했다. 예전보다 더 많은 양의 폭죽을 준비했다는 설명을 듣고, 기대로 가슴이 부풀었다. 불꽃놀이를 보는 건 거의 10년 만이었다. 그러나 점점 불꽃놀이 장소로 이동하면서 우리는 무언가가 잘못된 걸 느꼈다.

사람이 너무 많았다. 결국 전철에서 내린 우리는 걸어서 역으로 이동했다. 다리가 점점 아파오기 시작했고, 어디가 길인지도 모른 채 그저 앞 사람의 행렬을 따라갔다. 어찌저찌 도착했을 때, 우리는 너무 지친 나머지 돗자리 위에 주저앉아버렸다. 이 돗자리도 나와 친구가 편의점에서 겨우 사 온 돗자리였다. 주변이 온통 잔디밭인 곳에서 축제를 할 줄 몰랐다. 편의점은 왜 이렇게 멀리 있는지. 편의점에 사람은 왜 이렇게 많은지. 주변에 음식점도 거의 없었다. 하는 수 없이 편의점에서 다 식은 야키소바를 샀다. 축제 장소로 돌아가니 2명의 친구가 다 죽은 얼굴로 음식을 뺏었다. 우리는 돗자리에 앉아 썩은 얼굴로 다 식은 야키소바를 씹었다. '불꽃놀이 언제 해? 정말 이런 데에서 축제를 하는 건가?' 기대와 설렘은 체력의 한계에 와르르 무너졌다. 남은 건 대책 없는 여행이 주는 현실뿐이었다.

그때,

펑-!!

귀가 뻥 뚫리는 소리가 하늘을 뒤덮었다. 거의 굉음에 가까운 소리가 귀를 때렸다. 그러나 하늘에 넘실거리는 불꽃을 보자 천둥 같은 소리가 들리지 않았다. 저렇게 예쁠 수 있나? 눈을 밝히는 빛이 땅에서 솟아 하늘을 타고 피어나고, 다시 사그라든다. 아니, 사라지기도 전에 다시 새로운 빛이 하늘을 향해 솟구친다. 그날 밤은 밤이 아니라 낮이었다. 정말 그 정도로 밝았다. 사람들의 탄성과 불꽃이 올라가고 터지는 소리만 들렸다. 지금 생각해 보면 거기 있었던 모든 사람들이 불꽃이 터지고 올라갈 때마다 똑같은 목소리로 "우와~!"라고 하던 게 좀 웃기다. 사람 사는 곳은 다 똑같나 보다.

불꽃이 우리가 서 있던 하늘을 전부 뒤덮어 해가 떨어졌는데도 한 낮이었다. 꽃이 하늘을 밝혀 밤을 몰아내고, 우리는 미친 듯이 셔터를 눌러 그 순간을 찍었다. 어둠과 싸우는 불꽃은 시간이 지날수록 더욱 화려해졌다. 밤과 전쟁을 벌이며 더욱 커다란 굉음과 함께 밤하늘을 향해 날아가는 불꽃이 눈이 멀도록 환했다. 정말 많은 사람이 불꽃놀이를 즐겼다. 그 동네 사람들조차 맥주 한 캔과 함께 옥상에서 불꽃놀이를 구경하며 웃고 있던 모습이 아직도 기억에 남는다. 불꽃이 하늘에만 폈다고 생각했는데, 신기하게도 모르는 사람들이 진심으로 즐거워하는 모습이 참 예쁘더라.

끝나지 않을 기세로 하늘에 퍼붓는 꽃 세례를 뒤로한 채, 우리는 지하철의 막차를 놓칠까 무서워 숙소로 향했다. 그 와중에도 등 뒤에서는 엄청난 굉음이 들려왔다. 유독 새가슴이던 친구가 깜짝, 깜짝 놀라며 뒤를 돌아보는 게 웃겨 그 친구를 놀리면서 지하철역으로 들어갔다. 이제 와서 생각해 보니 그 굉음이 일종의 배웅이었다. 모든 게 처음인 이 여행이 잘 끝날 것이라는 격려와 떠나는 게 아쉬워 다시 한번 돌아보게 하는 배웅. 아, 다시 한번 불꽃놀이를 보러 가고 싶다.

상가를 빠져나오니 다시 발걸음 소리가 하나가 되었다. 횡단보도를 건너고 어두운 아파트 단지를 걸으며 집으로 향했다. 가로등이 유유자적하게 인도를 비추고, 산책 나온 강아지들을 보며 헤벌쭉 웃으며 몰래 인사했다. 아파트 동 하나를 가로지르며 집으로 돌아온 나는 노트북을 켜고 못다 한 과제를 진행했다. 특별했던 일본 여행에서 소소한 일상으로 돌아왔다. 그것이 아쉽지는 않았다. 다만, 만약에 다시 기회가 온다면 친구들과 다 함께 그 불꽃 아래서 마음껏 웃어보고 싶다.

가을에는 창문 너머로 넘실거리는
모든 것들이 아름답습니다.

♫ 잔나비– 가을밤에 든 생각

아버지와 글쓰기

김채윤

맑은 밤입니다.

찌륵거리는 풀벌레 소리와 파란 바람이 창문 너머로 넘실거리고, 큰 달은 불꽃들 사이에서도 고고합니다. 밤중에 거리를 걸으면 다 큰 열매들이 익어가는 냄새가 납니다. 가을이네요.

가을 하면 어릴 적 동화 전집을 가져오시던 아버지가 생각납니다. 책을 읽는 것이 유일한 취미였던 저는 같은 책을 하루에도 몇 번씩, 어쩌면 도합 30번도 더 넘게 읽었습니다. 그럴 때마다 아버지는 저를 가만히 바라보기만 하셨지요. 그러다 가을이 찾아오면 중고 책을 파는 트럭에서 떨이용 동화 묶음 집을 가져오시곤 했습니다. 초가을, 그러니까 2주에서 3주 정도밖에 머물지 않는 트럭이었지만 그 기간 아버지는 하루도 빼놓지 않고 퇴근길에 제 책을 사 오셨습니다. 집에 도착하자마자 10권쯤 되는 책 묶음을 내려놓으시던 모습이 생각납니다.

아버지께선 작은 제 머리를 쓰다듬으셨습니다. 돈이 없어 새 책을 사주지 못하는 게 미안하다고요. 하지만 전 상관없었습니다. 새로운 이야기의 매력과 매일 무거운 책을 들고 옥탑을 오르는 아버지의 사랑이 너무 배불러서, 풍족했거든요. 엎드려서 책에 빠져있으면, 아버지는 제 옆에 앉아 가을 꽃게 살을 발라 먹여 주셨습니다. 책과 달콤한 꽃게, 시원한 바람과 따뜻한 사랑이 한데 모여서 저의 행복을 만들었습니다.

그 후로 가을은 제게 사랑과 독서의 계절입니다. 아무것도 생각이 나지 않아 몇 달간 단상만 끄적거리다가도, 가을이 되면 신기하게도 긴 글이 쭉쭉 써

졌습니다. 작년 봄부터 아무런 글을 쓸 수 없었지만, 건조한 바람이 불면 다시 글을 쓸 수 있을 거라 믿고 기다렸습니다. 하지만 어쩐 일인지 여전히 제 머릿속은 하얗기만 합니다. 하루 종일 책상에 앉아 펜을 만지작거려도, 밖으로 나가 숨이 막힐 때까지 뛰어도, 제자리걸음이네요. 어릴 적, 책을 묶은 노끈에 손바닥이 새하얘진 아버지의 모습을 떠올리면 뭐라도 적어야 할 것 같은 기분이 듭니다. 어떤 글을 써야 할지. 말을 잃어버린 사람이 된 것 같아요.

모조품 같은 생각들을 늘어놓으며 하염없이 걸었습니다. 요술램프, 장화 신은 고양이, 신비한 마법, 무도회, 말하는 두꺼비, 꽃신, 왕자님, 그런 왕자님과 똑같이 생긴 거지, 시장 냄새가 진하게 나는 손. 곱등이가 나오는 화장실, 방 한 켠을 전부 차지한 책장, 빨간 끈, 옥탑, 계단을 오르는…….

저는 그동안 아버지를 생각하며 글을 적어왔습니다. 제 글을 들여다보면 가득 넘치는 사랑의 맛과 약간의 부채감을 느낍니다. 그래서 지금이 더 힘든 시간일지도 모르겠어요. 근사한 글을 아버지께 보여드리고 싶거든요. 저는 어느 쪽으로 걸어가야 할까요.

극복과 인정 사이에서 갈피를 못 잡고 넘어져 버리는 제가 여전히 어린 애처럼 느껴집니다. 아버지는 이것이 더 나은 사람이 되기 위한 과정이라고 하셨습니다. 어른이 되는 과정이요. 어른이란 무엇인가요.

사실 지금은 독서고 문학이고, 다 버리고 도망가고 싶은 마음만 듭니다. 한동안 내가 마주한 길을 외면한 시간도 있었습니다. 그렇지만 그렇게 뱅뱅 돌며 방황하다가도 결국 돌아오는 곳은 동네의 작은 서점이었습니다. 그때 깨달았습니다. 나는 어쩔 수 없이 이 길을 가야 한다고요. 신간 코너를 돌아보며 참 많은 생각을 했습니다.

가을에는 창문 너머로 넘실거리는 모든 것들이 아름답습니다. 한강 작가의 장편 소설들과 첫사랑을 했던 기억, 달, 방황, 이상할 만큼 과하게 달콤했던 과거의 글들이 창문 너머 일렁입니다. 지금 또한 일렁이고 있을지 생각하며 커튼을 내립니다.

마음껏 늘어져도
되는 시간이 찾아왔다.

♫ 엄정화– Festival

그대로 내버려둬 주세요

김현정

마음껏 늘어져도 되는 시간이 찾아왔다.

알람이 울리지 않는 하루의 시작. 시험이 끝남과 동시에 새벽마다 몸을 일으켜 씻는 하루의 반복을 잠시 쉴 수 있게 됐다. 열어 놓은 창문으로 들어오는 빛은 어느 때보다 화창하고 싱그러웠다. 원래라면 밖에 있었어야 하는 시간이지만 뜨겁게 내리쬐는 햇빛을 집에서 즐길 수 있는 여유가 생겼다. "덥다."가 자동으로 나오는 말이 되어버린 날씨. 윙윙 돌아가는 선풍기, 문 열어 놓은 창문 사이로 솔솔 들어오는 바람, 아파트 사이 사이에 빼꼼 고개를 내민 구름, 자신의 존재를 잊지 말라는 듯 쉴 새 없이 울어대는 매미. 더위에 지쳐 흐물거리는 몸을 이끌고 선풍기 아래 누워 방바닥과 친구가 됐다.

뒹굴뒹굴하는, 속 편한 하루를 오래오래 즐기고 싶은데 꼭 뭐가 하나씩 턱턱 걸렸다. 미뤄뒀던 일이 코앞까지 다가와 제시간에 해치우느라 애를 먹기도 하고, 내가 어떻게 할 수 없는 상황에 놓여 마음을 다잡으려 부단히 애쓰기도 하고, 실수하지 않기 위해 긴장 놓지 않으려 버텼던 하루들. 하지만 방학이 시작된 지금은 자유다. 눈이 알아서 떠질 때까지 실컷 자고, 좋아하는 드라마를 보고, 책을 좀 읽다가 느긋하게 하루를 보내는 편안함을 즐겼다.

지금은 뭘 시작해도 더위에 지치고 하기 싫어 빼질거릴 게 분명했다. 낮에 방에 혼자 있는 시간은 잘 없기에 룸메이트가 학교 간 지금을 누려야 했다. 불을 켜지 않아도 창문으로 들어오는 햇빛, 윙윙 돌아가는 선풍기를 옆에 두고 느긋하게 하루를 시작했다. 아무것도 안 하기, 안 해도 되는 날. 몸에 더운 공기가 달라붙는 게 느껴졌다. 누워서 창밖으로 바라보는 풍경이 싱그럽고 아무것도 안 해도 되는 나

역시 생기가 돈다.

평일에 이렇게 마음 놓고 누워본 게 얼마 만인지. 방학 동안 공부 좀 하라는 말이 따라왔지만, 매미 울음을 라디오 삼아 가만히 눈을 감았다. 윙윙. 일정한 소리를 가만히 듣고 있으니 잠이 쏟아졌다. 지금은 그냥 가만히 있고 싶었다. 남들 다 하는 일인 걸 알고 있고, 이 정도면 힘든 축에 속하지 않는다는 사실을 알고 있지만 자꾸 탄식하게 되는 날들이 있다.

정해져 있는 하루의 시작, 아침부터 쏟아지는 졸음에 저절로 떨어지는 고개, 가야만 하는 곳, 놓치면 큰일 나는 지하철, 부단히 지키려 애썼다. 적어도 성실해야 했으니까. "잠시만요, 지나갈게요!"라는 말을 꾸역꾸역 외치며 빽빽하게 들어선 사람들 속에서 내리기 위해 애썼다. 내리는 타이밍을 놓치는 건 생각만으로 아찔하니까.

학교 가는 길도 그렇고 집 가는 길 역시 순탄치 않았다. 한번 놓치면 20분 넘게 기다려야 하는 배차 시간. 내가 가야 할 목적지까지 가지 않는 지하철 때문에 남들 다 지하철에 올라탈 때 혼자 덩그러니 남겨진 적도 있다. 타고 나서도 이리저리 부딪치지 않기 위해 아득바득 내 자리를 확보했다. 다닥다닥 붙어 앉은 사람들이나, 어디 역인지 확인하려 자다가 고개를 들어 빼곡하게 모여있는 사람들을 볼 때면 다시 눈을 감았다. 이대로 못 내려 사람들 사이에 껴있는 것도, 이 사이에서 꾸역꾸역 밀고 문밖으로 나가야 하는 것도, 모든 것이 쉽지 않았다.

누워있는 지금의 행복을 부담 없이 누리고 싶다. 지금 제대로 안 쉬면 또 언제 쉴지 모르는데. 아무것도 안 할 수 있을 때 안 해야 한다. 수많은 변수가 모여 생각지도 못한 일은 언제든 생기고, 아주 어이없고, 당황스럽게 곁에 와 통보한다. 나는 어떤 식으로든 마무리 지어야 할 테고. 누군가는 내가 이렇게 누워있는 시간 속에서도 열심히 계획을 세워 달려 나갈 테지만 지금, 이 순간이 나에게는 또 다른 변수를 감당할 수 있게 하는 시간이다. 누릴 수 있는 한 실컷 누릴 생각이다. 지금의 여유를, 내가 늘어질 수 있는 이 시간을.

몸에 더운 공기가 달라붙는 게 느껴지면 가만히 눈을 감고 매미 울음을 듣는다. 일정한 소리로 울어대는 걸 듣고 있으면 정신이 점점 아득해진다. 방 밖에서 들리는 시끌시끌한 소리에 잠에서 깨면 어느새 어둠이 찾아와 인사했다. 룸메이트의 카랑카랑한 목소리가 귓가를 울리고 어두운 방을 밝혀주는 빛 하나에 몽롱했던 정신이 점점 자리를 잡는다.

마음을 편안하게 했던 파란 하늘과 구름이 사라지고 아파트 불빛만 가득한 저녁으로 세상이 달라졌다. 아무것도 하고 있지 않지만, 더 격하게 아무것도 하기 싫어지는 날씨, 사계절 중 유일하게 낮잠 자는 계절. 아무것도 하지 않고, 아무 생각 없이 누워 잠에 빠져드는 시간. 윙윙 돌아가는 선풍기 소리에 편안함을 느끼는 하루. 아무것도 하지 않는 이 순간 그대로 내버려둬 줬으면. 아무것도 안 하는 것처럼 보이지만 실상은 그렇지 않으니까. 나를 움직이게 하는 원동력은 가만히 누워있는 것에서부터 시작된다.

자. 등불을 쥐고, 조각을 안에 넣어 봐.

♫ 브금대통령 - Bye

마음의 등불

김혜린

손이 새까맣다. 자세히 보면 손뿐만 아니라 가슴, 배, 다리까지 온몸에 질편한 진흙이 가득했다.

'새까매...'

어쩌다 이렇게 됐을까. 나는 가만히 손을 모았다. 비스듬하게 세운 두 손을 가슴에 가져가니 새까만 진흙이 묻어 나오다 못해 손에서 흘러내렸다. 검은 물처럼 진득한 그것은 손가락 사이를 빠져나갔다.

'진흙…'

　그래. 이건 진흙이다. 마음에서 나오는 진흙. 짜증, 시기, 질투. 마음이 만들어 낸 추악하고 애처로운 검정이다. 분명 조금만 거둬갔을 텐데, 조금씩 떼고 모으고 담아뒀더니… 어느새 넘쳐 버렸다. 시선을 내리자 형체가 보이지 않을 정도로 얼룩진 옷이 눈에 들어왔다. 옷의 하얀빛은 사라진 지 오래였다.

'언제 이렇게 거메진 걸까.'

　손으로 문지르고 닦아도 진흙은 없어지지 않는다. 오히려 제 흔적을 묻히고 덧붙이고 감싸 자신을 늘리고 늘려서 불어날 거다. 언젠가는 나를 덮어버리겠지. 강렬한 감정이 다른 감정을 삼키는 것처럼, 나를 집어삼켜 버리겠지. 내가, 나로서 있을 수 없을 만큼 강렬하게, -탐욕스럽게 말이다.

'…무섭네.'

　그래. 무서웠다. 머리가 하얘지고 아무 생각도 안 떠오를 만큼 무서웠다. 이런 걸 원한 게 아니었는데.

그저, 살짝 담아뒀을 뿐인데. 버틸 수 없어서 살짝 넣어둔 것뿐이었다. 참기가 힘들어 조금 넘겼을 뿐이었다. 그저 그것뿐이었는데. 어느새 진흙은 파문처럼 넓어져 나를 감싸고 있었다.

'이대로면 내가 보는 세상도 까맣게 변해버리겠지.'

싫다. 눈물샘이 느슨해지고 눈꼬리에 물이 맺혔다. 나이도 잊은 채 어린아이처럼 울 것 같았다. 이대로는, 싫었다. 눈을 꼭 감았던 그때였다.

"아이구. 엄청 까매졌네."
"!"

익숙한 목소리가 들려왔다. 아주아주 익숙하고, 정겨운 목소리. 나를 어린아이로 만드는 그 사람이었나. ㄱ 천연덕스러움에 안도감이 되살아났다. 저절로 눈물이 흘러내렸다.

"엄마…"
"너무 안 와서 찾으러 왔잖니. 너무 더러워졌다,

애."

난감한 듯 다가온 엄마가 옷소매로 눈가를 닦아줬
다. 스치는 손길에 다정함이 묻어나서 진짜 어린아
이처럼 안겨버렸다. 엄마는 옷이 더러워지는 걸 개
의치 않고 나를 마주 안았다.

"자, 이제 씻어야지."
"…씻을 수 있어?"

불안함이 전해진 걸까. 엄마는 나를 안도시키는 다
정한 얼굴로 말했다. "물론이지." 그 말을 남기고 엄
마는 자리에서 일어났다. 그러고는 어느샌가 손에
들려 있던 등불을 쥐고, 상냥한 노랫소리를 흘려보
냈다.

『불꽃을 피우자
감사 한 조각 감사 두 조각
활활 타오르는 꽃을 내 맘에 새기자
조각은 내 맘을 비춰줄 거야』

그러자 마법 같은 일이 벌어지기 시작했다. 상냥한

말씨를 따라 빛 조각이 몰려든 것이다. 조각은 별을 보는 듯 따스한 빛무리를 내더니 노랫말을 따라 춤을 췄다. 빛무리가 일렁이면서 작은 알갱이가 바스라지듯 흩어져 가는 게 마치 요정이 날아다니는 것 같았다. 반짝임을 뽐내던 조각은 엄마가 등불 덮개를 열자 안으로 들어가고는 노란 불씨를 피웠다. 어둡던 주위에 따스함이 깃들기 시작했다.

"예쁘다…"
"자. 등불을 쥐고, 조각을 안에 넣어 봐."

등불을 잡자 주위로 조각이 몰려들었다. 조각은 열린 덮개 안으로 춤추듯 들어가고는 화려한 불꽃을 피워냈다. 붉고 노란 꽃이 만들어 낸 황홀경에 한숨을 낸 것도 잠시, 어느새 몸을 뒤덮은 진흙에 불꽃이 피기 시작했다.

"아…"

몸에 불이 붙은 건데도 무섭지 않았다. 노랫말을 상기하자 자연히 알 수 있었다. 그렇구나. 입가에 미소가 번졌다. 감사가 원동력이 된다. 그럼 분명, 내 마음엔 붉고 노란 불꽃이 자리 잡게 될 거다. 그건 영원히 검정을 태우는 다정한 불빛이 될 테지. 나를 나로서 있게 해주는, 상냥한...

마음의 등불이다.

겨울옷처럼 두툼한 먹빛 하늘에는 별을
닮은 인공위성이 빛나고, 은색의 달이
옅은 빛으로 밤길을 비추었다.

♫ Yiruma- Un Homme Et Une Femme

수묵화, 엷음

- 빛과 어둠의 농담으로 빚어진, 고요한 침묵을 닮은 묵화 -

김효진

새하얀 함박눈이 내려앉은 어느 겨울의 밤은 마치 한 폭의 수묵화 같았다.

늦은 밤, 집으로 돌아가는 길이었다. 낡고 지친 몸을 이끌고 건물 밖으로 나섰을 때, 차디찬 눈송이가 나를 맞이해주었다. 손끝에 닿는 희고 차가운 감촉에 놀라 멍하니 하늘을 바라보았다. 눈이 내리고 있었다. 두터운 솜뭉치를 툭, 툭 잘라 떨어뜨리는 것처럼 큼지막한 눈이었다.

거칠 것 없이 송이송이 내리는 눈이 예뻐 넋을 놓았던 것도 잠시, 난감한 마음에 속으로 한숨을 내쉬었더랬다. 집으로 가는 길은 멀었고, 눈은 그칠 기미도 없이 내리고 있었다. 잿빛 보도블록 위로 크고 작은 눈송이가 내려앉았다가, 녹기를 반복했다. 유난히 포근했던 날씨 탓에 안심하고 걸친 얇은 겉옷에는 흔한 모자 하나 없었다. 그러나 이미 밤은 늦었다. 이것저것 잴 것 없이 가야만 하는 시간이었다. 하는 수 없이 벌써부터 얕게 쌓이기 시작한 눈길을 걷기 시작했다. 아, 감기 걸리면 어쩌지. 눈이 얼마나 쌓일까? 신발이 젖으면 불편한데. 현실적인 걱정들이 머릿속을 무수히 스쳐 지나갔다.

칠흑 같은 어둠 속에서 눈은 소복소복 소리도 없이 쌓였다. 누구도 밟지 않은 순백의 눈길은 가로등 불빛 아래 새하얗게 빛났다. 그 위로 짙은 발자국을 남기며 걸었다. 반짝반짝 빛나는 눈은 내가 닿는 걸음걸음마다 그림자처럼 녹아내렸다. 그게 못내 안타까웠다.

어느새 나는 눈을 맞는 것도, 추위도 잊은 채 천천히 걸으며 눈이 내린 풍경을 만끽하고 있었다. 눈이 내린 밤의 풍경은 그린 듯이 아름다웠다. 겨울옷처럼 두툼한 먹빛 하늘에는 별을 닮은 인공위성이 빛나고, 은색의 달이 옅은 빛으로 밤길을 비추었다. 검게 바싹 마른 겨울나무 위로 쌓인 눈은 눈부시게 흰 빛으로 반짝거렸다. 한낮의 풍경으로는 결코 만들어 낼 수 없는, 빛과 어둠의 농담 濃淡으로 빚어진 작품이었다.

한 폭의 수묵화.

눈이 내린 밤 풍경은 노련한 화가의 화필처럼 거침 없으면서도, 부드럽고 섬세했다. 오직 먹의 짙고 옅음만을 이용해 그려낸 묵화처럼, 화려한 채색 하나 없이 그 자체로 고귀한 느낌을 주었다. 희뿌연 눈보라와 대비를 이루는 밤하늘은 가장 짙은 먹으로 물들고, 먹에 물을 탄 것처럼 옅은 잿빛을 띠는 보도블록 위는 빈 종이처럼 새하얀 눈이 쌓였다. 자연보다 위대한 화가가 어디에 있겠는가. 구태여 색을 물들이지 않고도, 오직 흑과 백의 명암으로만 세상을 담아낸, 고요한 침묵 沈默을 닮은 묵화 默畵. 그 침묵의 그림 속에서 나는 진정 아름다움을 느꼈다.

그 무엇도 이야기하지 않아도 괜찮다는 듯 묵묵히 내리는 눈과 모든 것을 감싸 안는 어둠은 다정했다. 한없이 아름답고도 유정幽靜한 그 풍경 아래에서 나는 문득 못 견디게 괴로워졌다. 솜털처럼 가볍고 차분한 눈송이가 마치 내 마음속에 꽁꽁 숨겨두었던 무언가를 톡, 건드린 것 같았다. 그동안 안으로, 안으로 꾸역꾸역 접어 밀어두었던 감정들이 슬며시 틈을 비집고 튀어나왔다. 미래에 대한 걱정, 인간관계에 대한 고민, 불안과 절망, 미움, 슬픔……. 한 번 터진 감정은 봇물 터지듯 쏟아져 내렸다.

고개를 들어 하늘을 바라보았다. 뺨을 적시던 차가운 눈은 이내 뜨거운 물이 되어 흘러내렸다. 눈이 내린 밤, 한 폭의 수묵화 속 나는 그 어디에도 속하지 못했다. 옅고 짙음이 섞여 조화를 이루는 수묵 속에서 나는 이질적인 존재였다. 숨기고 싶은 눈물을 감추어주는 어둠 속에서 편안함을 느끼다가도, 가로등 아래 눈부시게 빛나는 눈을 향해 욕심껏 손을 뻗고 싶었다. 이 모순적인 마음을 안고서 내가 할 수 있는 일은 그저 내 안에서 밀려 나오는 감정의 홍수를 맞이하는 것뿐이었다.

 새까만 하늘을 가만히 들여다보니, 옅은 흰 구름이
안개처럼 밤하늘을 부유하고 있었다. 다시는 밝아지
지 않을 것처럼 보이는 새까만 하늘조차 희미한 구
름과 섞어지면 반드시 옅어진다. 아무리 짙은 먹이
라도 물을 섞으면 서서히 흐려지는 것처럼. 가로등
불빛이 드문드문 이어지는 거리를 걸으며 생각했다.
이 눈이 아주 많이 내려서, 이 내 모든 시련들을 흐
려지게 해주었으면. 짙은 감정을 덮고, 덮고, 덮어서
더 이상 보이지 않도록 해주었으면.

 꽁꽁 언 뺨을 적시는 눈송이가 자못 기꺼웠다. 소
리 없이 내리는 눈길을 걸으며 나는 소리 없이 뜨거
운 눈송이를 흘려보냈다.

어째 겨울의 햇빛은 여름보다
명도가 낮은 것 같다.

♫ 설- 열기구

빛은 왜 번집니까

박나연

점막이 아릴 정도로 차가운 공기가 잠을 깨우는 계
절이다. 겨울이다. 겨울이 왔다. 무거운 몸을 이불
에서 끄집어내 쭉 펴본다. 유리문 사이로 햇빛이 스
며든다. 옅은 빛이 벽을 타고 늙은 강아지의 등줄기
에 닿는다. 언젠가 배웠던 채도와 명도에 관한 이론
을 떠올리며 이를 닦는다. 겨울의 아침은 왜 여름보
다 따스할까. 겨울밤의 농도는 왜 짙을까. 노랫소리
에 섞인 생각을 뱉는다. 눈물이 흐른다. 얼굴의 굴곡
을 타고 둥근 세면대로 뛰어든다. 화장실 조명이 번

져 보인다. 흔한 겨울 아침이었다.

어째 겨울의 햇빛은 여름보다 명도가 낮은 것 같다.

생일선물로 받은 목도리를 두르고 집 앞 골목길을 걸어갈 때면 그런 생각을 한다. 겨울의 햇빛은 여름보다 더 어두운 것 같다고. 얼굴이 얼어버릴 만큼 추워지면 한강이 제일 먼저 얼어붙는다. 여름 내 윤슬이 예쁘던 강이 겨울 햇빛을 머금은 얼음판이 된다. 서울을 가로지르는 지하철에서 야경을 멍하니 바라보고 있으면 빛의 가장자리가 흐려지다가 완전히 형태를 잃는다. 술에 취해 바가지를 쓰고 탄 택시에서도 그랬다. 차창 너머 빠르게 지나가는 가로등 불빛이 번진다. 여름날 똑같이 바가지를 쓰고 탔던 택시에서는 분명 불꽃놀이를 보았는데. 왜 겨울 빛은 번지기만 할까.

빛은 왜 번집니까.
빛은, 왜, 번집니까,
빛은. 왜. 번집니까.

얼굴이 얼어붙고 한강도 얼어붙고 빛은 제자리에 머무르지 못해 번져간다. 따스하게 스며드는 명도 낮은 빛이 마음을 데운다. 또렷하던 세상의 빛이 테두리를 잃어갈 때 비로소 겨울이 왔음을 체감한다. 애야, 겨울이야. 말해주는 사람 하나 없어도 알 수 있다. 겨울에 태어나서 추위를 많이 타는 여자아이가 겨울에 좋아한다고 고백한다. 빛을 품은 겨울을 좋아해.

나도 누군가에게 겨울 햇살 같은 사람이었나.

따스한 사람이 되었던 날을 생각한다. 나도 모르는 사이 누군가에게 스며들어 한 사람의 계절이 되었던 나를. 가장 예쁘게 지었던 미소를. 흘러간 시간과 함께 보내주어야 할 것들이 마음 속에 자리 잡는다. 그날, 잡은 손에 흔적 남길 수 있었던 건 나의 빛이 테두리를 잃었기 때문인가. 내가 햇살 같은 사람이라는 당신의 말을 이제야 이해할 수 있다. 나는 겨울 햇살 같은 사람. 포근한 사람.

여기 햇빛 냄새 머금은 목도리를 두르고 걷는 내가 있다. 겨울은 점점 추워지고 번진 빛은 스며들어 따스함을 더한다. 애야, 겨울이야. 포근한 사랑을 하

자. 얼어버린 얼굴에 예쁜 미소를 지어보자.

파멸을 알면서도 올라가는 그 마음은

환희인가, 집착인가?

♫ 이하이 - 구원자

어느 불나방의 이야기

신혜원

나는 개사하기를 좋아한다. 정확히는 팝송이나 가사를 대충 들으면 알아듣기 어려운 그런 노래를 들으며 속으로 노래와는 다른 가사를 지어 부르길 좋아한다. 자주 나오는 주제는 정해져 있지만, 가끔은 그냥 일상적인 등굣길이나 그런 노래를 부르기도 하는데, 그런 나의 노래에 항상 나오던 '빛'이라는 존재는, 내가 사랑하던 사람들이었다.

꼭 사랑한다는 것이 막 사귀었다든가 사귀고 싶었

다는 뜻은 아니다. 나에게는 많은 빛이 스쳐 지나갔고, 그중 몇몇은 너무 존경스럽고 대단해서 같이 일하고 싶었던 사람들이었다. 그래, 그 사람도 마찬가지였다. 우연히 알게 됐던 그 사람은 말이 많지 않아도 사람들을 모으는 재주가 있었고, 자기 할 일도 똑부러지게 정말 잘하는 사람이었다. '진짜 대단한 사람이다. 나도 저렇게 되고 싶다.' 이런 마음에 나는 노력을 시작했다. 열심히 해서 꼭 같이 일할 수 있는 사람이 되기 위해. 그때 당시에는 정말 비유적 표현이 아니라, 빛 그 자체로 보였다. 정말 존경스럽고 목표가 되는 사람. 닿기만 한다면 나도 따뜻한 빛을 느낄 수 있을 것만 같아서.

그런데 그 사실을 아는가? 빛을 직접 쳐다보면 그 주변은 오히려 깜깜해서 잘 보이지 않는다는 것을. 주변의 모든 것이 내가 그 사람에게 닿지 못하게 할 가시투성이였는데도 아무것도 보지 못하고 달려만 갔었다. 보통 드라마를 보면 주인공은 이런 상황이어도 결국 모든 걸 이겨내고 당당히 그 위에 서던데, 나는 그렇게 빛나는 존재는 아니어서, 주인공들이 빛나게 돕는 그냥 엑스트라일 뿐이라서. 현실은, 나는, 그만큼 강하지 못했고, 그만큼 아름답지 못했다.

차라리 처음부터 올라가지 못했다면 괜찮았을 텐데, 거의 다 올라가 빛에 닿기 직전이었던 나는 추락의 아픔과 뜨거운 빛에 생긴 화상으로 더 고통받았다. 빛의 따스함은 이제 따가움이 되어서 나를 마구 찔러대고 있었다. 결국 그렇게 등을 돌린 이후에도 여전히 느껴지는 밝음은 가끔가다 내게 씁쓸함을 안겨주곤 한다.

  그런가 하면 정말 그대로의 의미의 사랑을 느낀 빛도 있었다. 아니, 오히려 이런 빛은 많았다. 부끄러운 이야기지만, 따스함, 그러니까 사랑을 얼마 받지 못하고 살아온 내게는 어떤 빛이든 새로운 따스함이었으니까. 어떤 사랑이든, 어떤 빛이든 따뜻함만 느껴지면 될 것 같았던 나였는데, 그런 내 생각을 바꿔준 어느 가장 밝았던 빛이 있었다.

  그 사람은 나만큼 감성적이진 않았다. 오히려 요즘 말하는 'T'에 더 가까운 인물이었다. 처음엔 잘 맞지 않을 것 같다고 생각했지만, 차츰 알아가면서 나에게 필요한 건 이런 사람이었다는 것을 알게 됐다. 너무 감성적이라 이리저리 흔들리는 나를 잘 잡아줄 수 있으니까. 그런데 그런 성격 때문일까. 앞서 소개한 빛만큼은 아니어도 충분히 높아 보이는 곳에 이

빛은 위치해 있었다. 가로등이나 불에 달라붙는 불나방들을 본 적이 있는가? 사람의 입장에서 생각하다 보면 옆 친구가 불타 죽는데도 여전히 달려드는 그들이 참 멍청해 보인다. 그런데 그들은 그럴 수밖에 없다. 내가 그랬으니까. 사람이 못 되어서 그랬던 걸까. 아, 나는 하찮은 불나방이었나. 파멸을 알면서도 올라가는 그 마음은 환희인가, 집착인가? 너무도 뻔한 삼류 드라마처럼 결말은 변하지 않았다.

이쯤 되니 이젠 올라가기도, 새 빛을 찾기도 너무 지쳐서 그냥 가만히 앉아만 있었다. 어차피 화려한 빛들은 그에 맞는 빛무리를 찾을 테니까. 그런데 그 순간, 문득 작은 빛을 발견했다. 커다랗고 화려하게 빛나지도, 높은 곳에 있지도 않았다. 욕심이 많았던 나라면 절대 쳐다보지 않았을 초라한 빛을 어느새 지척이며 따라가고 있었다. 빛에는 금방 닿았다. 따뜻했다. 그런데 그게 끝이 아니라, 저 앞에 빛이 하나, 또 하나.. 계속 이어져 있었다. 그 빛들을 따라가다 그제야 알았다. 내게 필요했던 것은 화려한 빛이 아닌 같이 나아갈 수 있는 안내등이었구나. 어쩌면 미래엔 또 다른 빛을 찾으러 헤맬 수도 있겠지만, 지금은 빛을 따라 나아가는 중이다.

꼭 뜨겁지 않아도 된다. 화려하지 않아도 된다. 그
저 모두가 따스하기를.

이름은 침묵하는 순간에는
존재하지 못해요.
입가를 당차게 맴돌다가
그 발끝을 수줍게 내밀었을 때야
비로소 완성되는 거예요.

♫ d4vd- Here With Me

이름이 뭐예요

안소이현

　-이름이 뭐예요?

　사람들은 모두 처음 만나면 빠지지 않고 이렇게 묻곤 해요. 제 이름은 남들보다 한 글자 더 긴 나머지 사소한 해프닝도 꽤 있는 편이었어요. 그렇지만 저는 제 이름을 참 좋아해요. 성은 안, 이름은 소이현. 아버지께서 지어주신 이름이에요. 다들 아버지 성과 어머니 성을 함께 썼다고 생각하지만요. 백이면 백, 이름이 소이현이에요, 아니면 성이 안소예요? 이렇게 물어보죠.

바탕 소에 다스릴 이, 어질 현. 이렇게 세 가지 한 자가 모여 저는 소이현이 되었어요. 어릴 때는 친구들이 저를 소이현이라고 부르는 게 조금은 불편했어요. 왜인지 모르겠지만 성을 붙여 이름을 부르는 기분이었죠. 그래서 저는 자기소개 후에 늘 이현이라고 부르면 된다는 말을 덧붙이곤 했어요. 이름 때문에 나오는 이야기를 원천 차단하기 위해서였죠. 그런데 언제는, 저는 이름도 모르는 누군가가 저를 기억하고 있던 적이 있었어요. 이름 때문에요. 그때 저는 생각했어요. '이름은 생각보다 오래 남아있구나.' 엄청 특별한 일은 아니었지만 이름에 대해 생각하기엔 충분했죠.

생각해 보면 이름은 꽤 많은 역할을 하는 것 같아요. 사람과 사람이 제일 처음 주고받는 것이기도 하고, 이름을 아느냐로 서로의 친밀도를 파악하기도 하죠. 우리는 서로를 이름으로 기억해요. 상대를 떠올리고 기억하기에는 그게 가장 쉬워요. 기억 속에 남겨진 세 글자. 무엇보다 뚜렷하고 명확하게 자리 잡는 세 음절. 그게 바로 이름이에요. 우리에겐 모두 이름이 붙여져 있고, 서로를 그렇게 기억해요. 어쩌면 저는 남들보다 이름이 한 글자 긴 덕분에 그만큼의 기억을 더 남길지도 모르겠네요.

 우리는 기억해요. 이름으로 기억해요. 이름을 기억
해요. 이름은 기억돼요. 이름은 의미해요.
 의미는 퇴색돼요. 의미는 사라져요. 그렇게 소멸해
요. 이름은 흩어져요. 이름은 잊혀져요.

"내가 그의 이름을 불러주기 전에는 그는 다만 하
나의 몸짓에 지나지 않았다, 내가 그의 이름을 불러
주었을 때 그는 나에게로 와서 꽃이 되었다"라는 김
춘수 시인의 꽃을 아시나요? 이름은 침묵하는 순간
에는 존재하지 못해요. 입가를 당차게 맴돌다가 그
발끝을 수줍게 내밀었을 때야 비로소 완성되는 거예
요.

 기억의 이름, 저는 그것을 이름의 의미라고 부르기
로 했어요. 이름은 그 대상을 고심하다 그것을 형용
해 낼 수 있는 순간에야 붙여져요. 그 이름이 무엇인
지, 무엇을 뜻하는지 더 이상 고찰하지 않을 때야 비
로소 굳어지는 거예요. 소이현이라는 이름을 가진
사람은 저 하나뿐이지만 다른 이들의 기억 속에서
저는 또 다른 이름을 지니고 있겠죠.

생각해 보면 하나의 이름을 갖는다는 게 얼마나 멋진 일인가 싶어요. 만약 우리가 불릴 수 없다면, 그 누구에게도 불릴 수 없다면 어떨까요. 물론 사랑 같은 무형의 존재들은 그대로겠지만 입 밖으로 부르지 못하니 명명의 지금처럼 완전하지는 않겠죠?

의미는 부여하는 행위 자체에 그 의미가 있어요. 자음과 모음 몇 개가 모여서 만들어진 글자에도, 의미가 붙었기 때문에 지금의 소중한 이름이 되는 거예요. 우리가 별것 아닌 것에 의미를 부여하면 소중히 자리 잡듯이, 우리도 서로에게 이름이라는 의미를 지니고 각자의 기억 속에 자리 잡죠.

이름이 길든 짧든, 한자이든, 순우리말이든 상관없어요. 그 이름을 빛나게 해주는 건 결국 서로니까요. 이름을 불러주고, 불리며 서로의 의미를 되새기는 거예요. 우리들은 작은 생명이 몸을 부풀리기 전부터 이름을 짓고 부르죠. 탄생의 순간 전후로 갖게 되는 이름들 말이에요. 우리가 지금껏 숨 쉬어온 모든 날과 모든 순간 동안, 이름은 언제나 우리와 함께였어요. 그러니 우리 한 번 불러봐요. 서로의 이름을, 나의 이름을요. 힘차게요. 사랑스럽게요. 작명의 순간부터 지금까지 한 번도 빛나지 않은 적 없는 그 이름을요.

　이름은 의미해요. 기억의 이름을요. 우리는 불리어요. 이름으로 불리어요. 서로를 명명해요.
　명명의 순간에요. 우리는 형용해요. 이름은 맴돌아요. 그 입가를 수줍게요. 수줍게 불러봐요.

무자비하게 방출해 낸 빛이 깨져
생긴 프리즘.

♬ 산울림- 무지개

무지개

이수정

유달리 글쓰기가 어려웠던 지난 한 주였다.

글이 잘 안 써지는 것은 요즘 내가 무던히 잘 지내고 있기 때문이다. 나는 적당하고 안온한 감정을 글로 표현하는 데에 익숙지 않았다. 아무래도 글을 쓸 때는 속상함을 토해내는 편이 훨씬 쉬웠다. 또 어떤 날은 내 우울에 취해, 아니 지나간 그 울결을 조금 더 붙잡으려 노력하며 글을 쓰기도 했다. 정 쓸 것이 없을 땐 이미 해소된 감정을 다시 억지로 뭉치어보는 날도 있었다. 그렇지만 괴로웠던 어느 지난날들을 다시 끄집어내는 것도 여간 고역이 아니다. 더군다나 이즈음엔 스스로 솔직하고 싶다는 생각도 들어 밝은 노래만 찾아 듣기도 했다.

그래서 오늘까지도 텅 빈 메모장을 몇 시간은 바라만 보았다. 한 문장도 쓰지 못해 하얀빛을 내는 메모장 앞에서 나는 문득 너를 떠올려 낸다.

너는 빛을 내지 않아도 스스로 빛이 나는 사람이었다 스스로 빛을 낼 줄도 알았기 때문에 너는 항상 아름답게 빛이 났다 나는 네가 흘린 빛의 자국을 부단히도 주워 담았다 때로는 주변의 어둠조차 너를 더 빛나게 하는 수식어처럼 느껴졌다, 네게는 한때 가혹했던 어둠일지라도 너의 세상은 한없이 넓었고 나아가 내 세상에서도 주인공을 차지해 마지않았다 네가 무자비하게 방출해 낸 빛이 깨져 생긴 프리즘은 뾰족하게 나를 찔러 눈물 고이게 했다 그 눈물이 비로소 일곱 가지 색으로 빛났다

나는 이제 네가 없이도 너를 부러워할 수 있다

어렵기만 했던 문장들이 단숨에 게워진다. 또 같은 글을 쓰고 싶지 않은데 나는 또 글로써 원망하고

있다.

가끔은 그렇게 본인 스스로를
후련하게 세탁하는 것도
좋은 방법이라고 생각한다.

♬ 사와노 히로유키- On your Mark

세탁

정선우

내 주변 사람들이 나의 장점에 관해서 이야기할 기회가 생기면, 그들은 보통 십중팔구 나의 철저함에 대해서 이야기하곤 한다. 정확히 말하자면 계획이 틀어질 것을 대비해서 플랜 B나 C까지 만들어 놓는다는 점인데, 내가 봤을 때 이 평가는 다소 과대 평가된 면이 있긴 하지만 넓게 보면 틀린 말은 아니다. 내 눈으로 나를 돌아봐도 가끔 나는 돌다리를 부술 때까지 두들기는 경향이 있으니까. 그리고 이런 나의 성격은 지금까지 살아오는데 나에게 스트레스를

주었을지언정 결과적으로 다수에게 긍정적인 방향으로 작용했다.

그러나 이런 나의 성향은 단순히 특정 업무나 과제 해결에 대한 의무에 가깝다. 다시 말하자면 나는 지금까지 내가 하고 싶어서 돌다리를 미친 듯이 두들기는 것이 아니라 두드리기 싫음에도 이미 내 몸이 돌다리를 두들기려고 준비하는 것과 같다. 언제 한 번은 이런 내가 너무 싫어서 처리해야 하는 과제를 꽤 오래 방치한 적이 있었다. 물론 단 하루 만에 실패했지만. 물론 사람들은 이런 나의 성격 때문에 나에 대해 많은 신뢰를 보내는 경우가 많다. 그리고 나는 실제로 스트레스를 받고 고통스럽더라도 결론적으로는 항상 모든 일이 잘 풀렸고, 그것이 나의 역량을 증명하는 방향으로 끝을 맺었기 때문에 이런 성격에 대해서 더는 왈가왈부하지 않는다. 애초에 이런 일로 스스로를 미워하는 것을 멈춘 지도 오랜 시간이 흘렀다.

근데 최근 몇 년 동안은 역으로 내가 무의식중에 저지르는 실수 때문에 가끔 화가 날 때가 있다. 여기서 말하는 실수는 객관적으로 봐도 굉장히 사소하고 개인적이지만, 나는 위에서 설명한 '돌다리를 부숴 버릴 정도로 두들기는' 성격 때문에 이런 예정에서 벗어난 일을 굉장히 싫어한다. 물론 이런 변수들은 삶을 살아오면서 내가 아주 오랜 시간 동안 겪어왔던 것들이기도 하다. 하지만 당연하게도 나는 어렸을 때도 저지르는 실수나 계획에 생기는 변수에 대해서 일관적으로 좋아하지 않았다. 오히려 고등학생이 되기 전에는 더 완벽하게 모든 일을 수행하기 위해서 강박적으로 변수와 실수를 차단하는 성향이 강했다. 그러니까 어떤 점에서 보면 내가 무언가에 대한 실수를 굉장히 많이 저지르기 시작한 시점은 고등학생이 된 후라고 볼 수 있다. 그래서 어떤 점에서 보면 나는 고등학생 시절에 실수로 인해서 가장 많은 스트레스를 받았다고 볼 수 있다. 실수는 끊이지 않는데, 그 실수를 바로잡기는 쉽지도 않았기 때문이다. 그리고 고등학교를 졸업한 지금도 이전보다는 적지만 중요한 순간에 실수를 범해서 일을 망칠 때가 자주 있다.

그러나 최근에 이런 강박적인 태도를 버리게 된 계기가 있었다. 그 계기는 7월 정도가 되었을 무렵 있었던 일인데, 그날 외출을 하고 돌아와서 이어폰을 바지에 넣은 채로 세탁기에 넣은 것에서 시작되었다. 요즘 전자 제품들이 방수 기능이 나름 우수하다지만 2시간 가까이 드럼통에서 세탁되고, 거기에 추가로 2시간 동안 고온에서 건조까지 당한 이어폰이 멀쩡할 리가 없었다. 구입한 지 2달도 되지 않은 내 사랑스러운 이어폰은 그렇게 사망 판정을 받았다.

처음에 이어폰이 사라진 것을 깨달았을 때 '설마 아니겠지.' 싶었는데, 실제로 그 상상이 이루어지니 뭔가에 얻어맞은 기분이 되어버렸다. 그래서 그날 새벽 스스로에 대해서 진지하게 다시금 되돌아보았다. 일상적인 일에 나름대로 생각이라는 것을 하면서 살아가려고 하는데, 유독 어째서 나에게 이런 일이 일어나는 것인지 스스로를 자책했던 기억이 난다.

그러나 그렇게 한참을 다시 생각해 보니, 새벽 감성의 힘 때문인지는 몰라도 생각을 고쳐먹게 되었다. 간단하게 그날 나는 '그래 뭐 실수할 수 있지, 대신 그것을 계기로 더 잘하면 돼.'라고 생각의 흐름을 바꿨다. 남에게 피해를 주는 실수가 아니라면, 스스로를 지나치게 자책하면서까지 무언가를 바꾸려고 하거나, 실수하지 않는 것에 대해서 과하게 집착하는 버릇이 옳지 않다는 것을 깨닫게 된 것이다. 어떤 면에서 본다면 삶의 흐름을 억지로 바꾸려고 하는 것이 아니라, 순응하는 방법을 배우게 된 거라고 볼 수도 있겠다.

그래서 결론적으로 내가 하고 싶은 말은 실수 하지 않는 것에 강박적으로 굴 필요는 없다는 것이다. 사람들은 완벽을 추구하지만, 그날 이후로 나는 실수를 하고, 그것을 계기로 더더욱 앞으로 멀리 나아갈 수 있는 것이 더욱 인간답다는 것을 깨달을 수 있었다. 그러니 여러분도 부디 세탁기에 이어폰이든, 스마트폰이든 실수로 넣어버리고 세탁해 버려서 하루 종일 기분이 나쁠 때는 부디 새벽 감성의 힘을 빌리거나 자신만의 방법을 사용해서 다시금 생각해 보기를 바란다. 가끔은 그렇게 본인 스스로를 후련하게 세탁하는 것도 좋은 방법이라고 생각한다.

애정은 녹물이 되었고, 추억은 독사과
가 되었으며, 기적은 뱀의 혀를 날름거
리고 있었다.

♫ Glass Animals- Heat Waves

전해지지 않음으로써 완성되는 것

정유리

　마음이 맞는다는 건, 누구도 가져본 적 없기에 모두가 동경하는 것이 아닐까.애매하고 미묘한 나이에 접어든 후로는 그런 생각만 가득하다. 모두가 말하는 각자의 사정이라는 것도 그렇지. 피치 못할 사정과 각자의 개성이라는 이름으로 예외에 예외를 두고는 그 허점을 파고들어 줄 사람을 찾느라 한세월을 보낸다.

　나도 그러한 자들 사이에 끼어 있었다. 간사한 기적이 일어나기를 바라는 순수한 마음 하나로 영원을 살 것처럼 굴었다. 내가 바랐던 기적은, 참으로 간사한 것이었다. 뱀처럼 기어다니면서도 물처럼 흘러내리고 동시에 독 사과처럼 매끈했다.

어떤 기억들은 잔인할 만큼 선명하다.

나는 급하게 메모지를 찢어 다음과 같은 내용을 써 내려갔다.

"좋아한다고 말해준다면 어디라도 함께 가줄게." 마치 말이라도 걸어올 듯이 빛나는 눈은 그 자체로도 태양이었다. 우리에게 서로는 언제 녹을지 모르는, 실온에 보관된 아이스크림과 같았다. 먹어 치우면 그만인데, 괜히 찬 곳에 집어넣으려고 했었지. 왜 우리는 서로의 것이 되지 못했을까. 잊을 수 없는 눈이 불현듯 떠오르면 나는 그저 이 모든 방의 불을 켜고, 그가 지나가기를 기다릴 수밖에 없다. 이게 우리가 닿을 수 있는 유일한 방식일 것이다. 네 눈은 정말 환했었어.

마음의 문을 제외하고는 모두 닫혀 있던 추운 겨울날. 그가 나를 불러냈다. 없는 고민을 만들어 내는 건 뱀이 하는 짓이다. 얼굴에 다 흩뿌려지는 건 물이

하는 짓이다. 그가 나를 한번 깨물게 된 건 독 사과의 짓이다. 나는 진실로 기적이 일어났다고 믿었고, 기적은 간사했다. 내 고민을 들은 그의 미간이 유해졌다. 별거 아닌 고민의 대상은 오직 그였다. 눈치가 빠른 사람은 도무지 쫓아갈 수가 없다. 예의상 들려주는 목소리, 나는 바닥에 그의 입 모양을 새겨넣었다. 보지 않아도 그릴 수 있었다. 네 목소리는 정말 따뜻했었어.

　나는 너의 자랑스러운 후배 어쩌면 수제자. 눈물이 부쩍 많아지게 만든 건 그의 말이었다. 이름도 얼굴도 기억나지 않는 한 학년 선배에게 나를 알렸다. 자랑스러운 후배 어쩌면 수제자. 나는 두 눈을 감고서 들을 수밖에 없었다. 호흡이 길어진다. "꼭 그렇지만도 않아요." 하고 애써 점잖게 굴어보았다. 그는 분명 나를 따라 머쓱하게 웃었다. 내 웃음이 너무나도 어색해서, 어색한 것이 당연한 분위기로 만들어 주기 위해. 그 마음을 다 받아주지 못하고 나는 자리를 피해버렸다. 혼자가 된 그는 나를 바라보고 있었다. 마지막 눈웃음은 우리가 있던 장소로부터 날 밀어내었다. 그는 건물로 들어갔고, 나는 문을 빠져나왔다. 그땐 모든 게 홀가분했었다. 더 이상 그가 나를 향해 웃어주지 않을 것을 미처 깨닫지 못했기 때문이었다. 먹어 치우면 그만이었을 텐데, 전부 녹아버리고야 말았다. 아무리 더듬어 찾아도 향기를 손에 쥘 만한 그릇은 되지 못할 것이었다. 애정은 녹물이 되었고, 추억은 독 사과가 되었으며, 기적은 뱀의 혀를 날름거리고 있었다. 돌아본들 보이지 않았을 네 웃음은 정말 다정했었어.

나는 그만 초조해지고야 말았다.
메모지에는 여백이 없었다.

다 글렀다.
이런 초안으로는 어디로도 가지 못한다. 열이 어땠고 독 사과가 어땠고 하는 말은 너무 어렵다. 눈물이 고였다. 아무래도 좋았다. 외려 홀가분한 기분이 들었다.

이따금 볶을수록 향이 진해진다는 찻잎처럼 마음도 볶을 수 있었다면 좋았으리라 하고 생각한다. 열도 있었고 방법도 알았지만, 나는 그 향기의 형태가 네 마음에 들지 않을까 두려워했었어. 그저 한번 우려내봤다면 네 안에 깊이 파고들 수 있었을지도 모르는 일을 두고서.

이 미열은, 내가 너를 참아내는 데 쓸게. 소독하는 거야. 어쩌면 증발시키는 거야. 추억은 독 사과가 되었고 애정은 물이 되었으니까.

길가에는 가로등이 켜지기 시작했다. 손의 열로 뜨거웠던 메모지는 이제 대충 구겨져 버렸다.

암

어두운 방 안에 홀로 남게 되더라도,
당신만의 플래시라이트로 올바른 길을
찾아갈 수 있도록.

♫ 최유리- 밤, 바다

어둠, 당신, 사고실험

김동규

이 글을 읽기 전, 다음의 내용을 상상하라.

방 안 한가운데에 의자 하나가 놓여있다. 의자 앞에는 책을 읽을 수 있을 만한 크기의 책상과 글씨를 볼 수 있을 정도만큼만 밝은 스탠드 하나가 놓여있다. 당신은 혼자 그 안에 들어가 두 눈을 감고 두 귀를 막은 채로, 천천히 열까지 숫자를 센다. 다른 생각을 비우고, 마음을 차분히 가라앉히면서.

오해를 방지하기 위해, 미리 약속하겠다. 독서에 방해가 되는 무용한 준비 동작처럼 보이겠지만, 이는 앞으로의 내용을 이해하는 데 큰 도움이 되어 줄 것이다. 위의 지시를 따라서 모든 준비를 마친 사람이라면, 다음 페이지로 넘겨도 좋다.

오늘 우리가 해볼 사고실험의 주제는 '어둠'과 그 안에 있는 개인의 '상호작용'이다. 눈앞의 사물이 보이지 않고 주변의 소리가 들리지 않는 상황을 일종의 어둠이라고 정의한다면, 상호작용은 10까지 숫자를 세면서 느낀 감정이나 분위기가 되는 셈이다. 당신이 몇 초 전 상상했던 것 또한 이 실험의 일부분이므로, 숫자를 셀 때의 빠르기와 느낌을 기억해 둔다면 충분히 글을 이해할 수 있을 것이다. 이제 상황을 조금씩 다르게 설정 해보면서 본격적인 사고실험을 이어가 보도록 하자.

만약 다른 조건은 전부 동일하게 설정해 두되, 10보다 더 큰 숫자들을 세어야 한다면 상호작용의 양상은 어떻게 변화할 것 같은가? 방안에 정체 모를 상자들이 몇 개 놓여있었다거나, 조명의 밝기가 충분히 밝지 않았다면? 많게는 몇백 배 정도 더 긴 시간 동안 어둠 속에서 그것들을 견뎌내야 했을 당신을 상상해 보라. 이전에는 없었던 두려움이라는 감정이, 마음 한구석에서 싹트게 되었을지도 모른다. 시각과 청각이 제한되고 다른 감각들이 상대적으로 더 예민해지면, 주변의 요소들은 어떤 것이든 두려움의 대상이 될 수 있기 때문이다.

그 범주에 포함되지 않는 단 한 가지의 요소가 있다면, 그것은 어둠 속에 있는 개인에게서 나오는 내면의 소리다. 가령 '괜찮아, 할 수 있을 거야' 같은 말이라든가 '나는 나를 믿어' 같은 말들은 만들어질 때부터 개인에게 귀속되어 있다. 외부에서 가해지는 다른 요소들과 다르게 '낯섦'이라는 특성을 보유하고 있지 않다. 다시 말해 내면의 소리는 아무것도 보이지 않고 들리지 않는 어둠 속에서 유일하게 믿고 의지할 수 있는 유일한 동아줄인 셈이다.

앞 문단의 논의를 종합하면 다음과 같다: 어둠이 길어질수록 개인이 보이는 상호작용은 부정적인 양상을 보일 것이다. 시각, 청각의 차단으로 예민해진 감각이 주변의 요소들로 인해 두려움을 야기하는 경우가 있으나, 내면의 소리는 유일하게 해당 경로에서 벗어나 있다.

실험의 과정이 조금 난해하다고 생각되는가? 해석의 편의성을 위해, 앞의 용어들을 현실의 것들과 대응시켜 생각해 보자. 어둠은 우리가 현실 속에서 마주하는 어려움으로, 상호작용은 우리가 그 어려움에 대응하는 방법으로 바꾸어서 상상해 보는 것이다.

개인이 마주하는 어려움은 저마다 다른 종류의 것이라서 어떤 것이라고 결론을 내릴 수는 없다. 하지만 그를 마주하는 기간이 길어질수록, 우리가 느끼는 부정적인 감정이나 고통이 비례해서 늘어나는 것은 대부분 사실일 것이다. 하려는 일이나 계획이 손에 잡히지 않는 것을 '눈앞이 캄캄해진다'라고 말하는 것처럼, 그들은 우리를 어둠 속으로 끌고 들어가 가두어 놓을 것이다. 신경은 자연스럽게 곤두서면서, 때로는 외부의 위협적인 요소들을 가까이 오지 못하게 하는 가시 같은 방어기제가 될 터다. 그럴 때 스스로가 스스로에게 건네는 위안과 위로의 말들은, 가시들을 잠시 내려놓은 채 본래의 목표에 집중하게 만드는 길을 열어주지 않을까.

나는 당신이 오늘의 사고실험을 통해서, 마음속에 있는 또 다른 당신에게 말을 건네는 기회를 가져보 았으면 한다. 스스로에게 할 수 있다는 믿음을 주고 스스로를 믿는다고 말해주는 일은, 우리가 생각하는 것보다 더 중요할 수 있다는 사실을 알아주었으면 좋겠다. 지금까지의 사고실험에 쓴 에너지와 시간이 아깝지 않도록. 어두운 방 안에 홀로 남게 되더라도, 당신만의 플래시 라이트로 올바른 길을 찾아갈 수 있도록.

이 글을 읽은 후, 내면의 당신을 상상하라.

시간만 움직이는 이 방에 내가 있다.
의식을 재우려는 나와, 나를 재우지
못하게 괴롭히는 나.

♫ Boy In Space- Drown

어둠의 무대

김민지

전등을 끈다. 반듯이 눕는다. 눈을 감는다. 베개에
짓눌린 머리카락이 꿈틀거린다. 어디에서 들리는지
모르나 익숙한 진동이 울린다. 소리를 온통 감싼 듯
이 웅웅댄다. 이내 소리는 선명해진다.

시간만 움직이는 이 방에 내가 있다. 의식을 재우
려는 나와, 나를 재우지 못하게 괴롭히는 나.

감은 눈에 아무것이 보인다. 방금까지 빛났던 조명
의 잔상이 흩어진다. 불꽃처럼 배경에 스민다. 그 조

각들이 현미경에 보이는 세포의 형상을 이룬 채 꿈틀거린다. 서서히 사라지다 암전. 1막은 그렇게 끝난다.

조명이 켜진다. 무대가 있다. 외곽은 어슴푸레하고 중심은 선명히 보인다. 배경과 소품, 인물이 모두 익숙하다. 생각하느라 매일을 다 써버리는, 떠올리고 싶지 않은 나의 모습이다. 인물은 오늘 있었던 일을 재연한다. 두 번 다시는 보기 싫은 나를 그대로 흉내 낸다. 나의 진심은 그에게 들리지 않는다. 메아리가 된 채 무대를 채운다.

곧, 조명 절반이 꺼진다. 장면이 전환된다는 신호다. 잠시 멈추었던 인물은 오늘 있었던 일을 아까와 다르게 재연한다. 진심을 반영했는지 그토록 바라던 모습이 보인다. 흔하지 않다. 어디든 만족스러운 나를 만나는 일이 잘 없으니까. 대조적인 재연이 번갈아 이어진다. 급박한 장면 전환에 나의 의식은 잠들 기회를 빼앗긴다. 2막은 그렇게 끝나지 않는다.

의식을 재우려는 내가 그 목적을 이룰 때까지, 어쩌면 영원히 잠들 때까지 무대는 계속된다. 망측한 나를 마주한 지 오늘로 며칠째인지 알 수 없다. 그저, 감내할 뿐이다. 잊을 만하면 시작한다. 노랫소리처럼 그 현장이 귀에 맴돈다. 눈을 질끈 감아도 그 모습이 사라지지 않는다. 사위가 더욱 거메져 무대 중심이 도두보인다.

어둠은 상상을 자극한다. 바깥세상에 일어나는 일을 떠올리게 한다. 그 일이 언제 일어났는지, 일어날 건지는 중요하지 않다. 전부 다 떠오르니까. 막연한 상상도 한다. 왜 시간은 영원하지 않을까. 지금을 간직할 방법이 기억밖에 없는 걸까. 죽으면 어디로 갈까. 저세상은 여기보다 행복할까. 공상은 연극처럼 반복된다. 주위 전등은 꺼졌지만, 머릿속의 전등은 꺼질 틈이 없다. 그것에서 발하는 빛에 심오한 감정들이 뒤죽박죽 섞여 있다. 덕분에 의식은 심해에 가라앉는다. 고요하고, 차갑고, 나를 갉아 먹는 생물이 풍부한 그곳에.

전등을 끈다. 나직이 속삭인다. 오늘이 마지막 무대이기를, 화려하지 않아도 좋으니 내려가는 막을 보기를. 고대하는 날이 모이고 모인다. 그렇게 인생이 만들어진다.

그러나 나는 어둠이 나를 덮칠 때, 그
어둠이 내게 이불이 되어줄 수 있다는
걸 알고 있다.

♫ Older – Alec Benjamin

창백한 거실과 독립

김수아

"다녀왔습니다." 대답 없는 소리가 거실을 치고 다시 현관으로 돌아왔다. 운동화를 벗고 화장실로 가 손을 씻었다. 요즘 바람이 차서 손이 깨질 것 같다. 특히 나 같은 수족냉증은 그게 심했다. 대충 손에 남은 물기를 털고, 식탁 의자에 앉아 핸드폰을 했다. 우리 집에는 소파가 없어서, 식탁 의자가 가장 편했다. 할 것도 딱히 없는지라 대충 아무 영상이나 틀었다. 무표정으로 영상을 넘기다 보니, 벌써 1시간 정도 지나있었다. '아, 과제 해야 하는데.' 머릿속을 스치는 과제 생각에 고민하다 다시 핸드폰을 들었다. 내일의 내가 알아서 하겠지. 미루는 게 나쁜 버릇인 걸 알고 있지만, 고칠 생각은 바닥이었다. 지금 과제를 하기엔 시간이 애매하고 무엇보다 너무 귀찮았다. 그나저나...

"왜 안 오지?"

이 시간이면 문을 열고 올 때가 됐는데. 혹시 무슨 일이라도 생긴 건가? 조금 불안한 마음에 엄마에게 메시지를 보냈다. '엄마 어디야? 왜 안 와?' 답장은 바로 오지 않았고 내가 할 수 있는 건 없었다. 그리고 엄마에게 무슨 일이 일어난 게 아닐 거란 작은 확신도 있었고. 그래서 그냥 다시 유튜브를 틀어 쇼츠를 봤다. 쇼츠를 5개 정도 넘기니까 엄마한테서 연락이 왔다. 오늘은 외박한다는 문자였다. 이럴 줄 알았으면 그냥 미리 밥 먹을걸. 식탁을 대충 치우고 밥을 꺼내 미역국이랑 말아먹었다. 김치도 꺼내서 먹었다. 깜빡이는 조명에 고개를 들어 거실을 봤다. 황량하고 삭막해 보였다. 그때와 같았다.

옛날에... 그렇게 옛날은 아니고 고등학교 2학년 때, 나는 혼자 사는 것에 대한 로망이 있었다. 혼자서 자취하면, 잔소리하는 엄마도 없고 나 혼자서 하고 싶은 거 하면서 살 수 있을 거라고. 대학에 합격

하면 빨리 돈을 모아야겠다고 다짐했던 때가 있었다. 그리고 고3 겨울방학. 모든 것이 끝나고 노는 일만 남았을 때, 엄마는 자주 외박했다. 물론 엄마는 성인이고, 나도 이제 성인이었기에 전혀 걱정할 필요 없다고 생각했다. 집에 혼자 있는 게 처음이었지만, 우리 집은 맞벌이였고 혼자 있는 시간이 가족과 있는 시간보다 더 많았기 때문에 엄마가 외박해도 전혀, 아무 문제 없을 거라고 생각했다. 그리고 그날 밤에, 나는 평소보다 늦은 시간인 새벽 4시에 겨우 잠에 들었다. 엄마가 집으로 돌아온 날에는 평소보다 이른, 밤 11시에 잤다. 중간에 깨지도 않고 푹 자버려서 늦잠 잘 뻔한 걸 엄마가 깨워서 간신히 일어났다. 그 후로 엄마가 외박하는 날이면 나는 잠을 자는 게 무서웠다. 그냥 침대에 누우면 온갖 망상이 생각나 뜬눈으로 밤을 지새우기도 했고, 밥을 제대로 먹지 않아 엄마한테 혼나기도 많이 혼났다. 내가 왜 이러지? 왜 엄마가 없는 날에만 나를 이렇게 챙기지 않을까? 의자에 앉은 채로 진지하게 생각했다. 혼자 있는 집이 너무 추웠다.

밤에는 불을 켜도 집이 어두웠고, 아침에는 추웠다. 따뜻하고 포근하다고 생각한 우리 집은 삭막하고 어색했다. 오늘도 엄마는 집에 없다. 나는 어김없이 잠을 설쳤다. 다음날, 퀭한 눈으로 수업을 듣는 내 모습을 보고 친구가 질색하며 말을 걸었다. "너 어제 밤샜어? 뭐 하다가?" 이해할 순 없지만 들어주겠다는 친구의 태도에 나는 슬그머니 있었던 일들을 털어놨다. '마마걸이라고 비웃지 않을까?' 하며 걱정한 게 무색할 정도로 친구는 내 말을 집중해서 들어주었다. 내 고민을 들은 친구는 한참 동안 조용했다가, 입을 뗐다. "그거 그냥 무서운 거 아니야?" 무섭다니, 뭐가? "그치만 봐봐, 너 여태까지 너희 어머님이랑 떨어져 본 적 거의 없었잖아. 매번 같이 다녔고 저번에도 같이 여행 갔으면서. 내가 보기엔 네가 조금 불안한 거 보다 약간...독립?을 무서워하는 것 같아."

독립을 무서워한다니, 단 한 번도 생각해 본 적 없었는데. 엄마랑 같이 살면서 '빨리 독립해야지'라고 생각했는데. 친구의 말 한마디가 머리를 강타했다. 그날 수업 내용은 기억도 나지 않는다. 멍하니 노트에 낙서하면서도 독립을 무서워한다는 말이 뇌 속을 맴돌았다.

나는 정신을 부여잡은 채 집으로 향했다. 친구에게 필기 내용을 보내달라고 부탁한 뒤, 무거운 발을 끌어당겨 겨우 움직였다. 그런데, 집에 가까워질수록 다리가 가벼웠다. 한 걸음씩 움직일 때마다 몽롱한 정신이 돌아오는 것 같았다. 약간 버벅거리는 걸음으로 계단을 타고 현관문을 열었다. 고소한 기름 냄새가 났다. "왔어, 우리 딸~?" 엄마다. 왜 여기 있지. "엄마 오늘 외박한다고 하지 않았어?" 신발을 벗고 가방을 내려놨다. 아까보다 발걸음이 더 가벼워진 느낌이다. 고소한 기름 냄새의 정체는 미역국이었다. 오늘 생일인 사람은 없는데? "그냥 미역국 먹고 싶어서 끓인 거야. 그리고 오늘은 그냥 집에 왔어. 너무 집을 오래 비운 것 같아서." 의자에 앉은 엄마가 젓가락을 꺼내 상 위에 올려놨다. 나는 숟가락을 꺼내서 엄마한테 줬고, 거의 며칠 만에 함께 밥을 먹었다. 매번 내가 먼저 먹거나, 엄마가 밖에서 먹고 오거나 둘 중 하나였는데. 나는 밥을 먹는 엄마의 얼굴을 몰래몰래 쳐다봤다. 옛날보다 주름도 많아지고, 살도 없었다. 그러고 보니 엄마는 나보다 키가 작았다. 그래서 내가 굽 있는 신발을 신으면 가까이 오지 말라고 말했다. 이렇게 가까이서 엄마를 본 게 얼마 만인지. 기분이 정말 이상했다. 엄마는 내게 정말 큰 존재였는데. 마주한 엄마는 작아 보였다. "엄마 없는 동안 괜찮았어?" "그럼, 당연하지." "진짜로?" "엉." "다행이다, 걱정했는데." 뭘 걱정까지 해.

본심을 숨기고 나물을 꼭꼭 씹었다. 쓴맛이 나는 게 내 속과 비슷했다. "우리 딸 다 컸네. 앞으로 엄마 없어도 걱정 없겠어." "...응" 웃으며 이야기하는 엄마에게 답하며 국을 삼켰다. 원하지 않는 독립이 찾아온 날이었다.

저녁으로 만든 파스타가 적당하게 맛있었다. 순식간에 한 그릇을 다 해치운 나는 핸드폰을 보면서 실실 웃었다. 시끄러운 예능을 보면서 낄낄거리고 있는데 엄마한테서 문자가 왔다.

-혼자 있을 수 있지? 엄마 내일 들어갈게 ><

귀여운 이모티콘에 웃음이 나왔다. 아직도 나는 독립이 어렵다. 혼자 있는 집은 불을 켜놔도 어두웠고, 밤에는 창백하게 빛나서 저 구석에 있는 어둠이 나를 덮칠 것만 같았다. 그러나 이제는 독립을 피할 수 없다는 걸 알고 있다. 나는 아직도 엄마와 함께 살고 있고 잠들 수 없는 날이 있다. 그러나 나는 어둠이 나를 덮칠 때, 그 어둠이 내게 이불이 되어줄 수 있다는 걸 알고 있다.

항상 진심으로 쓰는 편지는 전해주질
못해.

♫ Richard Sanderson- Reality

진욱이에게

김채윤

 안녕. 나 채윤이야. 기억해? 12년 전. 아니지, 마지막으로 봤을 때를 기준으로 해야 하나. 그럼 11년 전이네. 생각보다 시간이 빨리 지나갔어. 너한테 내가 어떻게 기억되고 있을지 두렵기도 하고 떨리기도 해. 아예 기억 못 할지도 모르지만. 요즘도 가끔 네 생각이 나. 정말 갑자기. 밥을 먹다가도, 책을 읽다가도, 심지어는 자기 전에도.

 그런데 시간이 지나면 지날수록 네 목소리도 얼굴

도 점점 기억이 안 나. 같이 찍은 사진 한 장 없으니까 그럴 만도 하지. 네가 초대해 준 생일파티가 처음이자 마지막으로 함께 사진 찍을 기회였을 거야. 내가 갑자기 피부병이 돋아서 못 갔잖아. 온몸에 빨간 두드러기가 올라와서. 넌 상관없다고 했지만, 갈 수가 있어야지. 어린 마음에도 부끄러워서 못 가겠더라. 너한텐 예쁜 모습만 보여주고 싶었거든. 그때는 언제든지 다시 네 생일파티에 갈 수 있을 줄 알고 안 갔어. 왜 그랬을까, 바보처럼.

그래도 소풍 가서 찍었던 우리 반 단체 사진은 한 장 있었는데. 그 디지털카메라 고장 나 버렸어. 수리하는 데 몇십만 원이 든대. 너무 구식이라 부품도 거의 없고. 그럴 만도 하지. 12년 전에도 구식이라면서 싸게 파는 걸 중고로 사 왔으니까. 그래서 일부러 수리 안 하고 있어. 고쳐서 앨범을 확인했을 때 그 사진이 없으면, 정말로 끝난 기분이 들 것 같아서 무섭더라고. 엄마는 작동도 안 되는 고물 덩어리 좀 갖다 버리라고 하지만 아직도 이 카메라는 내 보물이야. 새카만 카메라 화면을 보면서 과거를 떠올리는 시간이 좋거든. 그래도 고치긴 해야겠지. 널 잊을 용기가 생기면 고쳐볼게. 용기가 언제 생길지는 모르겠어. 오랜 시간이 걸릴 것 같아. 이제 널 지워야지, 하면 마지막이 자꾸 떠올라. 머리를 부여잡고 응급실에 실려 가던 네가.

너는 늘 다정했어. 공부도 잘했고 또래 남자애들처럼 까불거리지도 않았어. 숫기 없었다는 말은 아냐. 너는 그냥 모두가 사랑하는 애였어. 어른들도, 아이들도, 다 널 좋아했어. 처음부터 내 시선을 끈 사람은 얼마 없는데. 그중 하나가 너야. 너에게는 아우라가 있었어. 속이 꽉 차 있는 밤 같았지. 굳이 깨물어 보지 않아도 느낄 수 있는 실속. 그래서 말을 걸었어. "안녕? 이름이 뭐야?"하고 물어봤을 때 너의 표정과 대답이 아직도 기억나. 얼굴은 잘 기억이 안 나도 표정은 기억나. 너는 정말 예쁘게 웃었어. 그때부터 네가 좋았어.

누구에게나 거리낌 없이 말을 걸던 나였지만 유독 너에게는 그러지 못했어. 네 앞에만 서면 몸이 굳었거든. 그런데도 넌 항상 나에게 말을 걸어줬어. 많이는 아니더라도 하루에 한두 번은 꼭. 짓궂은 네 친구들이 너와 내가 무슨 사이냐고 물으면, 수줍게 웃으면서 "친구지."라고 했잖아. 기쁘면서 슬펐어. 친구

이상의 관계를 바란 건 아니었어. 하지만 바라지 않는다는 게 원하지 않는다는 건 아니잖아. 그래도 네가 웃어주니까. 그대로도 좋았어. 계속 네 미소가 보고 싶었어. 진짜로 예뻤거든. 그래서 우리 둘 중 하나가 어디론가 떠나지 않는 이상 언제나 너를 볼 수 있을 거라고 생각했어.

1년이 지나고 나니까 네가 아팠어. 언제부터인가 네가 계속 조퇴를 하기 시작했어. 처음에는 몸살이 오래가나보다, 하고 생각했지. 처음으로 네가 학교에 나오지 않았던 날, 심장이 쿵 하고 내려앉는 기분이었어. 열심히 공부하던 네가 학교에 빠질 리 없었으니까. 그 후로 너를 잘 못 봤어. 어쩌다가 학교에 와도 2교시를 못 넘기고 조퇴했어. 엉엉 울면서.

그때 나도 같이 울고 싶었어. 너는 웃는 게 예쁜데. 자꾸 울기만 했어. 어디가 얼마나 아픈지 물어볼 수 없었어. 나중에 어른들 대화를 몰래 엿들었을 때, 네가 뇌 질환이 생겼다는 걸 알게 됐지. 못 고치는 병인데 수술 일정까지 잡았다며. 그날 대화를 엿들은 걸 아직도 후회해. 나 많이 울었어. 그 조그만 애가 얼마나 무서웠을까. 그 큰 수술을 어떻게 감당하려고 했을까.

　이제 너를 볼 날이 얼마 안 남았다는 걸 직감적으로 알았어. 그래서 결심했어. 네가 다음에 등교하는 날에는, 꼭 편지를 써서 전해주기로. 며칠을 고민하면서 편지를 썼어. 바르지 않은 글씨체였지만 그 안에 담긴 내용은 진심이었어. 일주일 뒤쯤에 등교한 네가 1교시 수업 도중 쓰러졌어. 시간이 좀 지나서 도착한 구급대원은 너의 작은 몸을 들것에 실었어. 그 뒤로 너는 영영 나타나지 않았어.

　쉬는 시간에 전해주려던 그 편지는 써 놓기만 하고 결국 못 전해줬어. 이 편지도 어차피 닿지 않겠지. 항상 진심으로 쓰는 편지는 전해주질 못해. 너에게도, 다른 이에게도. 지금 네가 어디에 있는지 알고 싶어. 나와 같은 하늘 아래에 있어? 아니면……. 어디에 있든 행복하면 좋겠어.

　오늘은 네가 너무 보고 싶어서 이렇게 편지를 써. 평소에는 잘 참다가도 가끔 힘들어. 너와 같은 공간에 있던 그 시간은 아직도 나에게 예쁜 보석으로 박혀있어. 너무 깊게 박혀 있어서 빠지지 않아. 뺄 생각도 없고.

　『8월의 크리스마스』라는 영화 알아? 그 영화의 마지막에 이런 말이 나와. "내 기억 속의 무수한 사진들처럼, 사랑도 언젠간 추억으로 그친다는 것을 난 알고 있었습니다. 하지만 당신만은 추억이 되질 않았습니다. 사랑을 간직한 채 떠날 수 있게 해 준 당신께 고맙단 말을 남깁니다." 이 편지는 전해지지 않겠지만 아쉽거나 슬프지 않아. 내 마음이 닿든 아니든, 예쁜 마음은 여기에 남아 있으니까.

　진욱아. 너는 옛날에도, 지금도, 앞으로도, 영원히 내 첫사랑이야. 여리고 쓸쓸하고 아픈 첫사랑이야. 네가 너무 보고 싶다. 지독하게 보고 싶어. 많이 사랑했어. 마지막 편지는 이만 마칠게. 고마워. 영원히 안녕.

마음을 담아, 채윤이가

꿈을 꾸는 건 쉬운데
풀어내는 건 어렵다.

♬ 하현상 - 등대

가망 없는 소망

김현정

꿈을 꾸는 건 쉬운데 풀어내는 건 어렵다.

'꿈'에 대한 사전적 정의는 크게 세 가지로 나뉜다. 1) 잠잘 때 우리가 꾸는 정신 현상. 2) 실현하고 싶은 희망이나 이상. 3) 실현될 가능성이 아주 적거나 전혀 없는 헛된 기대나 생각. 단어는 하나인데 품고 있는 뜻은 하나가 아니다.

흰 바탕에 검은 점이 몇 번이나 깜빡깜빡 움직인다. 뭐라도 써야 한다는 생각은 변함이 없지만 깜빡이는 점만 가만히 보게 된다. 몇 번이나 깜빡였을까. 길었던 깜빡임 끝에 흰 화면이 검은 화면으로 변하자 멀뚱히 앉아 있는 내가 보인다. 검은 화면 속에 갇히기도 잠시, 돌아온 흰 창만 쳐다보다 결국 아무것도 쓰지 못한 채 창을 닫았다.

뭘 써야 할까? 쓸 수는 있나? 왜 쓰고 싶지?

해 놓은 게 없어서 그런가, 아무것도 쥐고 있지 않아서 그런지 많은 글자 중에 아직 온전한 내 것이 없다. 어렸을 때부터 글을 쓰고 싶다고 생각했던 막연함의 시작. 흘러나온 상상들이 허공에 흩뿌려진다. 하고 싶은 것과 잘하는 것이 일치하지 않을 수 있다는 사실을 안다. 원한다고 다 가질 수 없다는 것도. 이야기를 만들어 냄은 개인의 역량에 달려 있고, 사람들을 끌어당기는 재주는 이야기를 풀어내는 데 재능이 있다는 증거니까. 단어가 만나 문장이 되고, 하나의 글이 되는 과정이 자유로워 보였달까. 내가 만들어 내고 지울 수 있고, 뭐든지 내가 원하는 대로 그려지는 이야기는 얼마나 매력적인가. 하지만 예외는 언제나 존재한다.

써지지 않는다는 것. 화면만 쳐다보다 그대로 창을 닫은 적이 한두 번이 아니다. 흰 창을 닫고 늘 손길이 가는 곳은 정해져 있다. 어렸을 때부터 지금까지 계속 붙들고 있는, 내가 애정하는 것의 목록 중 하나. 어렸을 때부터 애니메이션보다 드라마를 더 자주 봤다. 부모님 따라 옆에서 보다가 점점 부모님보다 보는 횟수가 늘어났고, 시간만 있으면 찾아서 봤다. 이제는 보는 것에서 나아가 내가 쓰고 싶어졌다는 사실이 조금은 특별해졌다고 할까.

인물의 말이 화면을 통해 전해진다. 눈이 바쁘게 인물을 따라간다. 화면 안에 갇힌 인물과 화면 밖에서 그들을 바라보는 내가 비친다. 이 모든 걸 처음부터 끝까지 만들어 낼 수 있을까 싶은 생각이 비집고 들어오다 장면이 전환되면 잡생각은 그만두고 다시 장면에 집중한다. 다른 생각을 하다가 뒤로 돌아가기 버튼을 누르면 또 다른 잡생각이 튀어나와 이야기에 방해만 될 뿐이다.

이야기에 집중하는 시간이 필요하다. 느긋하게, 누구의 방해도 없이.

이야기의 시작은 언제나 바람에서 온다. 무언가 이루고 싶거나, 누군가를 살리고 싶거나, 지나간 시절을 다시 기억하고 싶거나 하는 소망. 누군가의 감정이 글에 담긴다. 이야기에 집중하는 게 쉬운 일은 아니다. 나름대로 보면서 납득해야 하고, 공감해야 한다. 또 다른 에너지 소비지만 계속 찾아보게 된다. 누군가를 이끄는 힘, 찾아보게 하는 힘. 글로 하나의 세상을 만들어 내고 싶다는 꿈이 생겼다. 내가 그 세계에 빠졌듯이 나 역시 누군가를 내가 만든 세계에 빠지게 하고 싶어졌다. 시작은 그랬다.

막연하게 생각해 오던 꿈이 점점 현실로 다가온다. 언제부터 좋아했는지, 왜 좋아하게 됐는지 같은 고민 속에 놓였다. 세운 계획들이 하나, 둘 무너지고 있는 밤을 모른 체 하는 날이 많아졌다. 아직은 괜찮다는 자기 위로를 하고 나면 새로운 하루가 시작됐다. 원래의 목적이 아닌 것들이 곁을 채웠다. 하지만 다시 찾아오는, 무너지는 밤의 인사.

하고 싶다고 생각하면서도 특출난 재능을 보인 적은 없다. 원하는 걸 가졌는지 잘 모르겠다고 물으면 누군가는 답을 해줄 수 있을까. 내가 알아내야 하는 답인 걸 알지만 막연하다고 밖에 말하지 못하겠다. 막연히 보는 걸 잘했다는 것뿐. 재능을 보이는 사람들 속에서 나는 어떤 쪽에 속할까. 감춰져 있는 걸까, 아니면 가망 없는 소망일까.

쉽게 보일 수 없기에 들여다보기 전까지 아무것도 알 수 없다. 그래서 동경했는지 모르겠다. 알 수 없어서, 눈에 보이지 않아서 다른 것과 다르게 적셔오는 이 떨림이 싫지 않았다. 하지만, 점점 깊게 들어갈수록 보이지 않던 것들이 하나, 둘 보이기 시작한다. 내가 바라던 세상과 벌어지는 세상. 보이던 것이 흐릿해진다. 눈앞이 흔들거리며 세상이 뒤바뀐다. 점점 멀어지고 있다는 게 느껴졌다. 나중에는 언제 꾼 적이나 있는지 알 수도 없을 정도로 홀연히 사라질 수도 있겠다는 생각. 온전히 가졌다 하기에는 애매하지만, 어렴풋이 느낀 기억에 의존해 짐작만 하게 될 수 있다는 좋지 않은 기분.

여전히 안다고 확신할 수 없는 무지의 세계지만, 내가 보고 있는 것의 시작인 걸 안다. 흰 바탕에 검은 점이 몇 번이나 깜빡깜빡 움직인다. 뭐라도 써야 한다는 생각은 변함이 없지만 깜빡이는 점만 가만히 보게 된다. 몇 번이나 깜빡였을까. 천천히 숨을 골랐다. 망설이던 손끝에 힘이 실린다. 몇 번의 깜빡임 끝에 다시 나타난 흰 바탕에 깜빡이는 점이 아닌 글자가 쓰인다. 아무것도 쓰지 못하는 게 아니라 잘 쓰지 못할까 봐 시작도 안 하고 있다는 걸 알면서 외면했다.

제대로 쓰지도 않으면서 잘 쓰고 싶은 마음만 앞서 나간다. 시작이 있어야 끝도 있을 텐데. 손끝에 힘을 실어야 했다. 내가 상상하기 가장 좋은 시간대를 골라 머릿속에서 여러 이야기를 그려본다. 내가 태어나지 않았던 시절로 데려다 놓기도 하고, 내가 바라던 상황으로 데려다준다. 어떤 식으로 구현해야 할까, 말하고 싶은 이야기를 잘 마무리 지을 수 있어야 한다는 생각을 아예 벗어날 수는 없겠지만 뭐라도 써야 한다는 사실은 확실하다.

여러 번 쓰고 지우며 나타났다 사라지는 무수한 생각들을 거쳐 나온 한 글자, 한 글자가 어떤 이야기로 마침표를 찍을지는 알 수 없지만 상상 한 조각에 애정하는 것의 목록이 늘어간다. 꺼내 보일 수 없기에 간직해야 하는 숱한 시간에 갈피를 잡지 못하는 날이 있겠지. 이게 맞는 건지 확신할 수 없는 수많은 밤 속에서 깨져버리지 않기 위해 나름대로 애쓸 테다.

무언가를 좋아하는 건 특별한 경험이자 귀한 경험

이라는 말을 좋아한다. 애정이 있을 때 해봐야 한다는 생각은 변함없다. 시간이 지난 애정은 무관심으로 전락하고, 언제 애정을 가졌는지조차 기억나지 않을 테니까. 하루하루가 다르고, 상황에 따라 마음이 흔들리니 아무것도 짐작할 수 없다. 일어나지도 않은 일에 대한 걱정이 크면 큰 대로 작으면 작은 대로 늘 따라다닌다. 무엇 하나 제대로 품지 못하는 내가 싫을 때도 있겠지만 그래도 마음을 따라가다 보면 내 자리를 결국 찾게 되지 않을까.

네가 이 시간을 안식으로 여기지
않는다면, 내가 도와줄게.

♬ 브금대통령- 그렇게 어른이 되고

평온한 밤의 시간

김혜린

눈이 뻐근했다. 두어 번 눈을 깜빡여도 달라지는 건 없었다. 한숨을 쉬고 고개를 돌리자, 2를 가리키고 있는 작은 바늘이 나를 반겼다. 자는 시간대를 훨씬 넘긴 시각이었다. 잠들고 싶다는 생각은 방안을 채우고도 남을 만큼 있었지만... 아쉽게도 할 일이 남아 있었다.

'슬프구먼.'

잠을 몰아내자는 생각으로 물을 마셨다. 하지만 졸음이란 건 성가신 녀석이라 쉽게 사라지지 않았다. 아니나 다를까 입이 찢어질 것 같은 하품이 터져 나왔다.

"하~암..."

'이크...'

거대한 하품을 뱉어 버린 나는 슬쩍 뒤를 돌아 눈치를 살폈다. 왜냐고? 눈치를 살펴야 할 존재가 거기 있었기 때문이었다. 바로 저 녀석이다.

[...]

소개하겠다. 방금 내 눈과 마주친 불만 가득한 콩알 눈의 주인. 쓰던 이불이 어느샌가 바뀌어 나타난 존재. 이불로 된 커다란 곰돌이였다. 하늘색 바탕에 흰 구름 모양이 털이 된 그는 밤마다 같이 자는 내 룸메이트였다. 언제부터였을까. 정신을 차려보니 커다란 곰이 있었고, 정신이 멍했던 나는 그의 푹신함에 이끌려 잠에 빠지고 말았다. 그 뒤론 같은 침대에서 자고 있었다. 같이 자는 사이라서 그런지, 이불에서 태어난 녀석이라 그런진 몰라도 그는 내 수면을 무척이나 신경 쓰곤 했다. 지금 저렇게 노려보는 이유도, 잘 시간이 넘었기 때문이었다.

"미안 미안. 금방 끝낼게."
[...잘 시간이 한참 지났어.]
"할 게 많아서 그래. 걱정하지 마. 그렇게까지 졸리진 않으니까..."

하암... 말이 끝나기 무섭게 하품이 터져 나왔다. 뾰족해진 눈길을 피해 살살 도망치자, 한숨을 닮은 울림이 전달됐다.

[...피곤해 보여. 전에 말했었지. 밤은 안식의 시간이라고.]
"아, 하하.. 괜찮아! 충분히 안식하고 있어. 그, 나 할 거 있으니까... 삼깐만 내버려둬 줄래?"

내 말에 그의 눈에 슬픔이 깃들었다. 말한 나조차도 그 말이 거짓말처럼 느껴지니, 당연한 일이었다. 나는 그 눈을 애써 피하고 컴퓨터로 시선을 돌렸다.

어쩔 수 없었다. 아무리 어둡고, 고요해도, 지금 이 시간이 나에게는 안식의 시간이 아니었다... 생각해 보면, 굳이 지금이 아니더라도 나에게 밤은 딱히 안식의 시간이 아니었던 것 같다. 오늘처럼 심하진 않아도, 주기적으로 일에 치이며 살았으니. 그래서일까. 이전에 그가 했던 말이 떠올랐다.

[밤은 안식의 시간이야. 모두가 고요함을 누리고 평온하게 있지. 난 네게도 이 시간이 그러길 바라.]

다정하고 잔잔한 소망이다. 내게는 과분할 만큼.
이런 간단한 소망조차 이뤄줄 수 없다는 건, 꽤 괴로운 일이었다.

그렇게 얼마나 지났을까. 시계의 작은 바늘이 두 칸 정도 움직이고, 큰 바늘이 반 바퀴를 돌았을 즈음, 나는 할 일에서 벗어날 수 있었다. 피곤함에 절은 얼굴로 상쾌함을 만끽하고 있으니 푹신한 감촉이 날 반기러 와줬다. 고개를 들자 만족스럽게 웃고 있는 그가 있었다.

[수고했어. 이제 자러 가자.]

다정한 말과 푹신함, 따스한 온기에 휩싸인 나는 황송하게도 안겨서 침대로 옮겨졌다. 얼마 지나지 않아 졸음이 찾아와 자리 잡기 시작했다.

'결국... 오늘도 늦게 자네. 조금 미안한걸...'

작디작은 그 소망을 들어주고 싶었다. 하지만 밤이 주는 안식에 내 몫은 없었다. 오늘만 해도 회의 자료에 치이고, 어제는 발표에 치였고, 내일은 시험에 치일 예정이다. 머릿속에 주제가 가득해, 밤이 주는 연약한 안식 같은 건 격하게 밀어내고 있었다.

'이거 봐... 또 다른 생각하고 있잖아...'

죄책감과 피로감에 눈꺼풀이 무거워지던 때였다.

[그렇게 고민하지 않아도 괜찮아.]
"옹? ...어?!"

눈을 뜨자 커다란 입이 날 집어삼키고 있었다. 당황해서 그대로 먹혀버렸다. 전혀 두렵지 않은 감촉에 휩싸였다. 굳어버린 날 입에 넣은 채 그는 말했다.

[넌 항상 조그만 머릿속에 많은 걸 담고 다니지. 그게 너의 안식을 방해한다면, 내가 잠깐 맡을게. 어렵게 생각하지 마. 네가 이 시간을 안식으로 여기지 않는다면, 내가 도와줄게.]

그의 말과 함께 천천히 수마가 찾아왔다. 그 느낌이 정말로 평온해서... 웃음이 나왔다.
너무 헌신적이잖아.
작은 속삭임을 마지막으로, 나는 몰려온 잠에 정신을 맡겼다.
그날은 정말로, 평온한 시간이었다.

만약 그런다면 나도 이 수묵화의
한자락으로 남을 수 있을까.

♫ Yiruma- Overture

수묵화, 짙음

- 밝은 낮의 그늘처럼, 어둔 밤의 촛불처럼 -

김효진

눈이 내린 밤, 한 폭의 수묵화 속 나는 그 어디에도 속하지 못했다.

눈은 점점 쏟아지듯 내렸다. 눈이 쌓이는 속도가 무섭도록 빨랐다. 오래간만에 내리는 폭설에 눈썰매를 타러 나온 아이들의 즐거운 웃음소리와, 고된 야근을 마치고 퇴근한 직장인들의 얕은 한숨 소리가 들려왔다. 그들을 스쳐 지나가며 곱씹어본 감정은 그저 아득하기만 했다. 모두가 일상의 감정을 느끼며 숨 쉬고 있는데, 이런 짙은 불안과 공허에 빠져 허우적거리는 나 자신이 이질적이라는 생각이 떠나지 않았다.

집으로 가는 가장 어두운 골목이었다. 나는 흐르는 눈물을 닦지도 않고 걸었다. 맞은편으로 걸어오는 행인을 마주할까 두려웠던 까닭이었다. 어둠 속에서 고요히 눈물을 흘리며 그렇게 한참을 걷고 나서야 아무도 이 길을 걷고 있지 않다는 것을, 오직 나 홀로 있다는 사실을 깨달았다. 그러나 여전히 뺨을 닦지 못했다. 아니, 닦을 수가 없었다. 닦아도 닦아도 내 안에서 쉴 새 없이 쏟아져 내리는 그 뜨거운 눈송이를 막을 방도가 없었다.

그날 내 마음속을 가득 채운 슬픔은 무엇이었던가.

어느 날은 밝은 낮의 태양 아래 나를 세워두고 빛을 따라 살아가리라 다짐했다. 그러나 어느 날은 눈부신 태양 빛이 견딜 수 없이 괴로웠다. 밤의 어두움을 동경하고 사랑했지만, 그곳에서도 완벽히 어울리지 못했다. 명암의 경계에 걸쳐진 회색 인간처럼, 결국 나는 어디에도 속하지 못했다. 깊은 바다처럼 짙은 어둠 속에서도, 한낮의 햇살처럼 엷은 빛 속에서도 나는 겉도는 존재였다. 그것이 나를 못내 괴롭게 했다. 암순응도 명순응도 소용이 없었다. 아무리 시간이 지나도 익숙해지지 않는, 명암이었다.

수묵화는 여전히 말이 없었다.

집으로 가는 마지막 골목에서, 나는 충동적으로 발길을 멈추었다. 이제는 젖은 옷이나 신발, 감기에 걸릴 걱정 같은 것은 완전히 잊어버린 채였다. 아주 많은 눈이 쌓여서 그대로 나도 이 눈 속에 덮여버렸으면 좋겠다. 그런 생각을 잠깐 했던 것 같다. 만약 그런다면 나도 이 수묵화의 한 자락으로 남을 수 있을까.

구석진 곳에 쪼그려 앉아 눈 위로 손을 겹쳤다. 누구도 밟지 않은 순결한 눈 위로 흔적을 남기듯 지그시 손을 내리눌렀다. 찌르는 듯 날카로운 통증을 닮은 추위, 그것을 가만히 견뎌내면 포슬포슬한 눈송이의 질감이 느껴졌다. 그새 꽤나 두텁게 쌓인 하얀 눈 벽이 체온을 맞아 서서히 녹아내린다. 손을 떼어내자, 반쯤 녹은 눈 아래로 불투명하게 흙이 비쳤다.

거칠거칠하고 검은 흙은 얄팍한 눈 벽에 싸여있었
다. 명과 암 사이 어딘가에 머무른 그 불투명한 흔적
이 꼭 나를 닮은 것 같았다.

차가운 손을 녹이며 일어섰다. 몇 발자국만 더 나
아가면 집으로 향하는 마지막 오솔길이었다. 새하얀
눈밭에 찍힌 불투명한 손자국을 마음속에 간직한 채
나는 나아갔다. 나는 늘 가지지 못한 것과 내가 속하
지 못한 것에 괴로워했다. 하나, 오늘의 나는 어제의
나보다 조금 더 나를 잘 안다. 나는 빛 속의 어둠을
사랑하고, 어둠 속의 빛을 한없이 좋아하는 사람이
라는 걸.

농묵, 그리고 담묵을 떠올린다. 먹을 진하게 쓰는
농묵과, 물기를 섞어 엷음을 표현하는 담묵. 수묵화
는 오직 명과 암을 사용해 그리는 그림이다. 하지만
그 엷고 짙음은 섬세하게 조절되어 조화를 이룬다.
어쩌면 나는 종이 위로 번진, 물이 섞인 먹, 먹이 섞
인 물과 같은 사람일지도 모르겠다. 농과 담이 뒤섞
인, 어둠처럼 짙지도 빛처럼 엷지도 않은, 그러나 그
럼에도 묵묵히 한 폭의 수묵화로 그려지는.

새하얀 눈길을 수놓은 발자국처럼, 어두운 밤길을 밝히는 반딧불이처럼.

밝은 낮의 그늘처럼, 어둔 밤의 촛불처럼.

명 속의 암, 암 속의 명처럼.

나는 왜 끝없는 심연으로 나를
내던지고 있나.

♫ 비비(BIBI)- 홍대R&B

필수 불가결

박나연

必須不可缺

: 꼭 있어야 하며 없어서는 안 될 만큼 중요한 것.

묻는다.

그대 어둠 속에서 무엇을 찾으려고 눈을 뜨고 있나.

아파야 한다면 어둠 속에서 아프고 싶었다. 열이 나지 않는데 열병을 앓았다. 열병을 앓지 않았는데

열꽃이 피었다. 사랑하는 사람들은 언제나 떠나갔다. 떠나간 사람들은 추억이라는 이름으로 나를 옭아맨다. 달아오른 청춘의 온도가 뜨거워 손을 데었다. 뜨겁다. 열이 나지 않는데도 뜨겁다.

심야, 시속 120킬로미터로 고속도로 위를 달리는 차에 실려 가는 날이 잦아졌다. 집으로 돌아가는 길 약 47분간의 드라이브. 빠르게 지나가는 창밖을 바라보며 짙은 것에 대해 생각한다.

짙은 하늘과 더 짙은 산의 경계. 이를 감싸는 더 짙은 어둠. 깊이를 가늠하기 어려운 한강, 아무리 맑아도 별이 보이지 않는 하늘. 저 어둠은 대체 무엇을 잡아먹으려고 입을 벌리고 있나. 그것이 나의 생각이라면. 여전히 흔들리는 나의 자아라면. 그땐 어쩌지.

어둠 속으로 뛰어들면 검은 물이 튀길까.

나무 그림자로 뛰어가면 저 짙음이 나를 안아줄까.

나는 왜 끝없는 심연으로 나를 내던지고 있나.

공허함, 공허함. 꾸역꾸역 먹어봐도 고픈 배, 닥치는 대로 집어넣어도 채워지지 않는 외로움, 끊임없이 되풀이하는 자기 연민. 쓰레기 가득한 거리에도 가로등이 빛나지만, 그 밑에 서도 그림자가 없다. 구멍 난 마음이 아파 아이처럼 엉엉 울었다. 망가지지 말라는 어떤 이의 안부가 다시 한번 듣고 싶어도 더이상 그런 사람은 없다. 일탈은 언제나 가로등 빛나는 대로변에서 일어났다. 빛이 없는 곳으로 도망친 사람들은 더 이상 울지 않는다. 빛을 밝게 하기 위한 필수 불가결한 존재가 어둠이라면 우린 모두 새벽빛에 타버릴 것이라고 소리친다. 이렇게나 짙은 어둠이어야 한다면, 모두 타버릴 거라고.

47분간의 드라이브가 끝나고 고속도로에서 내려오면 가로등 빛나는 대로변이 펼쳐진다. 술집 뒷골목에선 젊은이들이 입을 맞추고 번화가 중심엔 셔츠방 전단지 따위가 촘촘히 뿌려진다. 저들도 내일이 되면 깨끗한 옷을 입은 사람들 사이에 섞여 들어가겠지. 밝게 빛나는 어둠 속에서 생각한다. 빛이 어둠을 위한 필수 불가결한 존재인가, 어둠이 빛을 위한 필수 불가결한 존재인가. 결국 나는 무엇을 찾으려고 어둠에 뛰어들었나.

답한다.
나 어둠 속에서 눈을 뜨고 찾고 있는 것은
빛.
빛이다.

여기서 포기한다면, 콘크리트에서 핀
꽃들에게 실례가 될 테고, 나는 그중
가장 강인한 꽃이 되려 하니까.

♬ 실리카겔- No Pain

암순응

신혜원

어제 문득 메일을 쓸 일이 있어서 메일 탭에 들어가게 된 일이 있었다. 어김없이 부정적인 답변에 한숨 쉬며 막막함에 멍때리다가, 내가 보낸 메일 목록을 가만히 바라보았다. 많은 도전, 문의, 부탁... 아무 것도 제대로 된 일이 없었다. 서버가 하필 그때 이상해서, 확인이 씹혀서, 그대로 시간이 지나서... 이쯤 되면 세상이 날 가지고 노나 분노할 만도 했지만, 나는 그냥 한숨이나 한번 쉬고 자러 갔었다. 굳이 꺼내지는 않지만, 마음속 한구석에서는 이미 느끼고 있다. 나는 이제 포기한 것 같다고.

언제부터 이렇게 되었던 걸까. 나는 출생부터 참 웃긴 일이 있었다. 호적에 생일을 등록할 때 잘못해서 8월생이 2월이 되었는데, 하필 딱 그때 호적 변경이 불가해졌단다. 그렇게 나는 가짜 생일을 달고 살게 되었다. 어쩌면 그때부터 모든 게 잘못되었던 건지도 모른다. 구구절절 불쌍한 사연팔이를 하기는 싫으니 간단히만 말하면, 그렇게 20년을 살아오는 동안 우연에 우연이 겹쳐서 어둠으로 빠져들어 가야 했던 일이 많았다. 처음에는 슬퍼하고 분노했다. 당연한 감정이었다. 노력이 그대로의 성과를 내지 못하는 사람은 노력하지 않는 바보로 취급받았다. 그런 세상이 싫었고, 열심히 더 하면 나갈 수 있는 어둠이겠지 싶어서 이리저리 무던히도 시도했다. 하지만 20년이 지난 지금, 나는 내가 무얼 하고 있는지조차 모르겠다.

어둠 속에서 너무 오래 살아온 생물은 어둠 속을 잘 볼 수 있게 진화를 한단다. 나는 이미 이곳에 물들었는지도 모르겠다. 이제는 웬만한 어둠은 무던하게 넘길 수 있게 되었으니까. 그러나 그것이 비록 나쁜 일만은 아니었다는 것을 얼마 전에 깨닫게 해준 사건이 하나 있었다. 친구가 갑자기 울면서 전화를 건 것이다. 나는 당황했지만 어쨌든 잘 들어 주고, 내 방식으로 위로를 전했다. 자세한 사연은 말할 수 없지만 내가 생각해도 슬픈 일이었으니까. 그 후 친구를 만났을 때 그 친구는 내게 정말 고마웠다며, 힘이 되어줬다고 말해줬다. 별일 아니라는 듯 넘겼지만, 내심 생각이 많아졌다. 내 어둠이 꼭 나를 혼자만 남기려고 한 건 아니었던 걸까 하는 생각 말이다. 이미 어둠에 익숙해진, 암순응이 되어 있는 나는 어둠에 잠긴 친구들을 잘 찾아낼 수 있게 되었다. 그리고 나는 나가지 못하더라도, 너희는 꼭 나가라고 응원해 주고 길을 찾아 줄 수 있게 되었다. 이유 없는 절망은 없다더니 그게 이런 뜻이었나 싶었다. 원래부터 상담을 잘한다는 말은 들어왔지만 그럼에도 내가 행복하지 못하면 무슨 소용인가 싶었는데, 여전히 친구들의 이야기를 들어주는 것은 왜였을까.

그날 밤 잠이 오지 않아 여러 생각을 했다. 어쩌면 세상은 내게 인도자가 되라고 말해주는 것이 아니었을까. 누군가를 이끌고 가려고 하는 자는 그 길을 먼저 몇 번이나 걸어 봐야 할 테니. 나는 그것이 어둠 속이었을 뿐이다. 이곳에 나만큼 익숙한 사람은 적어도 내 주변엔 없다고 감히 자신할 수 있을 정도니 인도자의 역할은 당연하게도 잘할 수 있다고 생각한다. 그런 생각들을 하다 보니 괜스레 새 꿈이 피어나고 있었다. 꼭 내 친구들뿐만이 아니라 어둠에 빠진 다른 사람들도 구해낼 수 있지 않을까 하는. 수많은 사람들, 그 피어나지 못한 꽃들이 어둠 속에서 아무도 모르게 져가고 있다. 하지만 나는 이곳에 서있지 않은가? 그들을 다시 가장 아름답게 피어나게 해 줄 수는 있지 않을까? 비록 작은 손길이라도, 내 쓸모를 찾고 있던 나에게는 뭔가 그러고 싶은 마음이 들었다. 그래서 요즘은 부전공으로 심리학과를 가볼까 하는 목표가 생겼다. 어둠이 걷히지 않는다면 그 속에서 할 수 있는 일을 하면 된다. 우리는 그에 굴하지 않고 여기까지 걸어왔으니. 이런 생각으로 앞으로도 살아가 보려고 한다.

여기서 포기한다면, 콘크리트에서 핀 꽃들에게 실례가 될 테고,
나는 그 중 가장 강인한 꽃이 되려 하니까.

문득 거울을 보면 내 몸에는
여전히 구멍이 뚫려 있었다.
구멍은 구멍일 뿐이었다.
그저 구멍일 뿐이었다.

♫ 제이보– 기다림에 살아가요

구멍

안소이현

 문득 거울을 보니 내 몸에 구멍이 뚫려 있었다. 누
군가 지나가면 지나가는 대로, 뚫고 가면 뚫리는 대
로 투과되는 투명하고 아무런 가감 없는 구멍이었
다. 메꾸고 싶었다. 채우고 싶었다. 처음엔 배꼽인
줄 알았던 그 작은 구멍은 볼 때마다 이상하게 커졌
다. 손가락을 처음 넣어봤던 그날까지도 나는 믿지
못했다.

 살이 파여있지도, 잘려있지도 않았지만 아팠다. 구

멍의 가장자리는 앙상한 갈비뼈를 타고 접혔다가 펴지는 내 손가락 마디처럼 부드럽게 이어져 있었다. 다만 한 가지 이상한 점은 새까만 검은색이라는 거였다. 꾹 누르고 나면 선명히 손가락 자국을 남기던 그것은 물풍선처럼 부풀거나 찰랑거렸다. 세게 잡아당긴다고 해서 찢어지지는 않았다. 다만 그렇게 점점 검어질 뿐이었다.

처음엔 괜찮았다. 옷으로 가릴 수 있었으니까. 바람이 불 때마다 옷 위로 앙상하게 제 모습을 드러내 보일 뿐이었다. 바람이 차가워지고 하늘이 저 위로 높아져도 억척스럽게 내 몸에 붙어있었다. 어쩌면 이게 나의 외로움이자 괴로움인가 싶었다. 거울을 보면 볼수록 더 징그럽고 비대해지는 눈앞의 그 구멍에 나는 그만 빨려 들어가 버렸다.

구멍 속의 세상은 모든 게 반대로였다. 사람들의 눈동자는 아래로 빛났고, 저마다 새까맣게 뚫린 눈으로 서로를 지긋이 바라봤다. 그들은 천장으로 걸어가 서로의 구멍으로 들어갔다. 내 눈앞에는 거꾸로 선 내가 우뚝 솟아 있었다. 나는 나에게 들어온 거였다. 나는 단추를 하나하나 풀며 얼룩진 얼굴로 이미 내 배를 가득 덮은 구멍을 보여주었다. 거울 속 거꾸로 서 있던 나는 팔을 뻗어 구멍이 난 나를 터질 듯 끌어안았다. 가슴이 미어졌다. 약간은 촉촉해진 나의 등이 생생하게 손에 느껴졌다.

나와 나의 배가 떨어지는 순간, 커다란 구멍은 그 대로 내 배에 붙어 버렸다. 크기는 반절 작아지고 색은 연해졌다. 내 볼품없는 구멍이 내게로 옮았다. 나는 순식간에 구멍이 나버린 거울 속 나를 뒤로하고 도망을 쳤다. 두려웠다. 나를 마주하는 이들을 다 구멍 나게 할까 봐. 끝없이 달리고 달려도 나에게서 벗어날 수 없었다. 속수무책이었다. 나는 양말의 작은 구멍 하나에도 발가락을 부러트리며 하루를 버티는 사람이었다.

-이건 원래 내가 가지고 있던 구멍이야.
역행의 내가 말했다.

조명 사이를 헤집다 들려오는 내 목소리에 흠칫 뒤를 돌았다. 방재의 사람들은 몰라보게 작아진 구멍을 훤히 드러낸 채로 서로에게서 나왔다. 모두 금방이라도 땅으로 처박힐 듯한 입꼬리를 하고 있었다.

그건 웃음이었다. 이곳은 모든 게 다 반대였으니까. 여기선 내가 역행자였다. 까만 구멍은 옮는 게 아니라 서로에게 부딪히고 맞닿으며 점차 마모되고 있었다. 눈으로 보면 커다랬던 구멍은 막상 몸을 비집어야 할 만큼 좁고 얕은 거였다.

누구는 모태에서부터 그 구멍을 가지고 나왔다. 누구는 평생을 자신의 구멍만 뚫어지게 바라보다 그 안에 갇혀 버려서 더 이상 나오지 못했다. 누구는 구멍을 가리려고 몸을 웅크리다 그대로 사라져 버리기도 했다. 그제야 알았다. 다들 구멍 하나씩을 몸에 지니고 살아간다는 것을. 나는 나를 구멍 낸 게 아니라 그저 거울에 비추어 본 것뿐이라는 것을.

구멍 속 세상에는 구멍이 없었다. 구멍이 난 것들은 다 저마다 이유가 있었다. 이유가 있는 것들은 결코 구멍일 수 없었다. 내 구멍이 내 구멍과 만났을 때 구멍은 더 이상 구멍이 아니게 됐다. 문득 거울을 보면 내 몸에는 여전히 구멍이 뚫려 있었다. 구멍은 구멍일 뿐이었다. 그저 구멍일 뿐이었다.

그 모든 것들의 밤은 무거웠다.

♫ 최유리- 숲

정전

이수정

    자려고 불을 끄고 누우면, 바로는 무척 어둡게 느껴지지만 이내 곧 형체가 드러나고 윤곽이 잡히는 기분이 든다. 그래서 나의 이 어둠도 익숙한 듯 금방 지나갈 것으로 믿었던 것인데-

    2년 전, 초겨울쯤 되었으려나. 내가 사는 아파트 단지가 꽤 오래 정전되었던 날을 기억한다. 나와 우리 가족은 하루쯤 정전이 뭐 별일이냐며 대수롭지 않게 여겼다. 원체 집에 잘 붙어있지 않는 성정이기도 했거니와 설령 집에 있더라도 핸드폰 화면을 들여다보고 있으면 몇 시간쯤 훅 가는 건 일도 아니었으니 말이다.

그러나 다음 날 저녁이 될 때까지도 전기는 들어오지 않았다. 공사 진행에 문제가 생겨 정전이 조금 더 길어진다는 짧은 안내방송을 뒤로한 채, 아파트 단지에는 어둑한 공기가 내려앉았다. 집 근처의 카페들은 마감 시간이 다 되어가도록 북적북적했고 나도 그사이에 껴 있었다. 사람들이 빛을 좇는 하루살이처럼 보이기 시작했다. 불이 밝게 빛나는 곳이라면 어디든 사람이 많았다. 동네에서 가장 늦게까지 하는 카페마저 문을 닫을 때가 돼서야 거리는 비로소 조용해졌다.

집에 돌아오니 어쩐지 출출했다. 나와 우리 가족은 각자의 감과 약간의 불빛에 의존해 끼니를 때웠다. 이 희한한 경험에 우리는 실소를 터뜨리기도 했다. 전기가 들어오지 않으니 핸드폰 1%가 소중했다. 평소처럼 밤사이에 핸드폰을 충전할 수도 없었기 때문에 평소보다 더 빨리 잠에 들고자 했다. 자기 직전에 핸드폰을 들여다보지 않는 것이 불면증 치료에 도움이 된다는 이야기를 어디서 본 것도 같은데, 한 가닥의 빛도 들지 않는 어둠 속에서 나는 역설적이게도 두 눈을 더 또렷이 뜰 뿐이었다. 내가 어디에 있는지도 모를, 존재를 희미케 하는 아득함의 끝에서 나의 무의식이 자꾸만 나를 깨우는 것처럼 느껴졌다.

그 모든 것들의 밤은 무거웠다. 오랜 시간 내려앉은 어둠의 중압에 짓눌린 듯 잠을 자도 피곤함이 가시질 않았고 아침은 또 삽시간에 지나쳐 다시 무거운 밤이 되었다. 고요하고 묵직한 어둠은 점차 스산하게 나를 감싼다. 아무것도 보이지 않으니 오히려 더 많은 움직임을 상상하게 된다. 그 움직임이 어수선히 소란스럽다. 어둠이 내게 잠시 내려앉았다고 생각했는데 내가 어둠 속으로 가라앉는 중이었고, 소란스러운 음성은 다름 아닌 내가 추락하며 내는 소리였다. 나는 이 어둠을 걷어내기만 하면 될 게 아니라 어둠 위를 기어 올라가야만 했다.

정전이 삼 일째 계속되던 날 저녁, 서서히 깔리는 어스름의 무게는 혹시 해가 지는 속도가 점점 빨라지고 있는 것은 아닌지 의심케 했다. 드넓은 암흑의 무게는 생각보다도 더 깊게 나를 짓눌렀다. 어둠에 질려 도망치듯 나간 바깥의 24시 코인 빨래방이, 편의점이 내뿜는 은은한 형광등이 그렇게 반가울 수 없었다.

'딸깍'하는 희미한 소리와 함께 전기가 다시 연결되는 기계음이 들린다. 기다렸다는 듯 돌아가는 냉장고 모터 소리, 전기 공사가 완료되어 정전이 끝났음을 알리는 안내방송. 어둡던 방 안의 소란한 움직임은 환하게 켜진 불빛과 동시에 차분히 가라앉았다. 안정적으로 제 모습을 드러내는 방의 윤곽이, 밝게 비치는 형체가 마치 내 방황의 끝을 알리는 듯하다.

내가 이것에 흥미를 가지는 것에 특별한 이유가 있는 것은 아니지만, 굳이 이유를 찾아본다면 아무래도 스스로 인간을 결여된 짐승이라고 생각하기 때문일 것이다.

♫ 사기스 시로- Komm, süsser Tod

결여

정선우

결여, 그것은 "이지러질 결(缺)"에 "같을 여(如)"라는 2개의 한자로 이루어진 단어이며, 동시에 특정한 것에 무언가 존재하지 않음을 표현할 때 사용된다. 나는 이 '결여'라는 단어에 대해서 떠올릴 때마다 굉장히 우울해지면서도 동시에 흥미를 느끼는 다소 독특한 인간이다. 내가 이것에 흥미를 느끼는 것에 특별한 이유가 있는 것은 아니지만, 굳이 이유를 찾아본다면 아무래도 스스로 인간을 결여된 짐승이라고 생각하기 때문일 것이다. 나는 인간에게서 결여라는 것을 떼어놓을 수 없다고 믿는 사람이며, 동시에 그런 결여가 있기에 인간이 인간답게 살 수 있다고도 믿는 사람이다.

하지만 어떤 면에서 본다면 '결여'는 '정말로' 사람을 괴롭게 만든다. 누군가는 인간관계에 결여 되어 있고, (대표적으로 바로 나) 누군가는 무언가에 집중하는 것에 결여 되어있으며, 물질적인 면에서 결여 되어 있는 이도 있다. 어쩌면 누군가는 평범하게 사는 것 자체에 결여 되어있을지도 모른다. 아무튼 하고 싶은 말은 결여는 그 종류나 정도에 상관없이 결론적으로 인간을 피폐하게 만든다는 것이다.

여기까지 생각했다면 '우리가 결여된 삶에서 벗어날 수 있는가?'라는 의문을 가질 수밖에 없을 것이다. 나 역시 이에 대해서 상당히 많이 고민해 보고, 이러한 인간의 결여에 흥미가 생길 정도로 다양하게, 특히 글과 영화를 통해서 접근을 해보았지만, 그때마다 정확한 답을 찾을 수가 없었다. 결여된 점을 채울 수 있을 것이라는 가능성이 아예 없는 것은 아니지만, 인간에게 결여되는 점은 총에 있는 방아쇠처럼 눈에 보이는 것도 만져지는 것도 아니라서 제어하기는커녕 방아쇠가 당겨지는 것조차 못 느낄 가능성도 있다. 나는 그래서 뭐가 맞고, 뭐가 틀리다 이런 것에 집중하는 것이 아닌 두 가지 모두 일리가 있다는 것에 초점을 맞추었다. 인간은 결여된 짐승임과 동시에 가능성을 가진 짐승인 셈이라고. 그래서 나는 지금까지 내가 소설을 쓰던, 이야기를 쓰든 간에 이런 두 가지 가능성을 모두 담으면서 이야기를 쓰기 위해서 노력했다. 일례를 들자면 내가 쓰는 이야기에서 인물들은 모두 어딘가 하나씩 결여가 되어있지만, 동시에 그 결여에 대해서 신경 쓰지 않고 앞으로 나아가는 인물이 존재하는 한편, 그런 결여된 점을 채우기 위해서 광적으로 집착하다가 파멸하는 이들도 존재한다. 전자에 대해서는 많은 이들이 '밝다.'라는 언어로 표현을 해주지만, 후자에 대해서는 '이게 뭐냐?' 혹은 '어둡다.', '광기로 가득하다.' 라고 표현을 해준다.

  나는 이러한 사람들의 말에 대해서 모두 옳다고 생각한다. 틀린 의견 따위 존재하지 않는다. 애초에 사람들이 그렇게 생각할 것을 상정하고 쓴 이야기들이다. 물론 일부러 극단적으로 쓰는 스토리들 역시 존재하지만, 사실 나는 현실에 비하면 내 이야기들이 그다지 극단적이라고 느끼지 않는다. 세상은 더 다양하고, 많은 것이 결여된 이들이 존재하는 공간이며, 내가 쓰는 것들에 등장하는 이들은 그러한 세상의 일부분에 불과하다. 아무튼 이런 식으로 글을 쓰고 이야기를 만들고, 그걸 읽어준 몇몇 주변 사람들의 반응을 보면 그 이야기를 쓴 나조차도 '이게 맞나?'라고 생각할 때가 있어서 혼란스러울 때가 많다. 그러니까, 결론적으로 나는 아직도 인간이라는 결여된 짐승이 그 결여를 극복하고 앞으로 나아갈 수 있을지, 그러한 결여를 극복하지 못하고 무너져 내릴지 확신할 수가 없다.

다만, 한 가지 확신할 수 있는 점은 인간은 자신의 결여된 점을 사랑할 수 없다는 것이다. 나 역시 그랬고, 그걸 철저하게 무시하고 잊어버리는 방식을 통해서 '극복하는 척'을 할 수 있게 되었지만, 여전히 그러한 결여에서 벗어나지 못했음을 온몸으로 자각할 때가 있다. 그럴 때마다 스스로가 너무나 싫고 인간이라는 짐승이 필연적으로 가지게 되는 결여가 얼마나 무서운지 깨닫게 된다.

물론 자기 자신의 결여된 점을 사랑하고, 그것을 통해서 앞으로 나아가는 이들도 분명 존재할 수 있다. 하지만 그런 이들도 살면서 한 번 이상은 자신의 결여된 점으로 인해서 고통을 겪었고, 그것을 초월하는 것에 있어서 다양한 노력을 기울였다는 점 역시 분명하다. 그래서 나는 각자가 가진 '결여'에 대해서 생각할 때마다 우울해질 수밖에 없는 것이다. 이러한 결여는 관점에 따라서는 인간의 삶 그 자체이며, 인간을 절망과 어둠의 구렁텅이로 빠뜨리는 끔찍한 악몽과 같다.

우리는 결여로 이루어진 세계에서 매 순간 숨 쉬고, 살아가고 있다.

병인病因의 마음에 들지 않는 치료는
그걸 악화시킬 뿐이야. 있잖아, 나를
사랑한다면 이번 발병의 원인을 알려
쥐.

♫ Jack Stauber – Fighter

부서져버린 믿음에 의지해
우리는 서로를 사랑하고 있다

정유리

"세상에 즐겁기만 한 사랑은 없어 넌 알아야 해 내가 얼마나 무거운 마음으로 널 좋아하고 있는지"

사뭇 진지한 분위기로 혹은 엄숙한 분위기로 시작된 편지에 말문이 막힐 정도로 평소의 나는 ㄱ에게 다정했었다. 아무런 맥락도 없이 시작된 말, 그의 얼굴에서 표정이 사라졌다. '마음에 들어요'마저 사라질 때까지, 나는 좋을 대로 공격을 늘어놓았다. 온점 하나 찍지 않고서.공격에 별 이유는 없었다. 그저 그날 그가 쳤던 커튼이 뇌리에 남았을 뿐이었다. 싸우고 싶지 않다고 매번 말했지만, 그 의지로써 머릿속에 남은 기억이 사라지는 것도 아니었다. 솔직하게 말하자면, 좋아해서 그래.

들어봐, 솔직해진다는 것도 좋아한다는 것도 생각보다 너무 어려운 일이기에 다들 그렇게 공들여 사랑을 전하고 반려하고 후회하고 울고 소리치고 상승하고 하강하고 뛰어드는 거잖아. 결국 실패할 걸 알면서도 솔직해지는 건 너무 어려워서. 잠깐 숨을 고른다. 그의 표정은 아무것도 담고 있지 않았다. 고개를 숙여버렸다. 우리도 아마 그랬을 거야, 사랑에. 즐겁기만 한 사랑은 없어. 즐겁기만 하다면 그건 자기만족이야. 상호작용이 아니야. 무엇도 달라지지 않는다면….

너는 늘 그랬어. 그의 눈을 똑바로 바라봤다. 그도 내 눈을 피하지 않았다. 있던 빛도 꺼트리고 뜬 눈을 감기게 했어, 네 입으로는 그러지 않았다고 해도 말이야. 들어봐, 우리의 생각은 생각일 뿐이고 객관적 결과와는 다른 문제야. 네가 이걸 충분히 이해하고 있다는 걸 나는 알아. 그래서 너는 나를 다른 색으로 빛나게 하고 나의 감은 눈을 뜨게 해줬잖아.

그림자마저 흐린 너를 붙잡고 싶었어.

　잠시 물을 마시고 돌아왔다. 모르겠어. 좋아한다는
건 왜 이렇게 '어려운' 거야? 고르고 고른 형용사는
'어렵다'였어. '고통스럽다'도 '괴팍하다'도 '질린다'
도 '아름답다'도 '죄악관영하다'도 아니었어. 너와
일치하지 않을 정의는 필요 없으니까.
　커튼을 치고 내게 다가와 안아주던 건 왜 그렇게
다정한 거야? 미련한 사랑이 우리의 대변자야? 그
의 얼굴이 미소로 일그러지기 시작했다. 나는 말을
멈출 생각이 없었다. 멈출 수 없었기에, 멈추지 않겠
다고 스스로를 속였다. 안경을 만지작거리며 아무리
곱씹어도 손톱 밑을 파고드는 듯한 죽창 같은 마음
을 달랠 길이 없었어. 병인病因의 마음에 들지 않는
치료는 그걸 악화시킬 뿐이야. 있잖아, 나를 사랑한
다면 이번 발병의 원인을 알려줘. 나는 커튼을 쳤고
그는 이쪽을 보고 웃었다.
　청사초롱靑紗 하니에 의지해서 어두운 옛길을 걸으련
좀 더 돈독해질까? 여전히 네 손은 차갑고 네 심장
은 두근거리고 네 머리에선 열이 나. 내 손은 따뜻하
고 내 심장은 조용하고 내 머리에선 눈물이 돌아. 다
시 커튼을 치고 가만히 앉아있자, 심장소리가 부서

지는 파도 소리가 될 때까지. 그는 고개를 끄덕였고, 조용히 내게 안겼다. 세상은 영원했고 기분은 썩 유쾌하지 않았다.

"왜 화내는 거야? 그럼 내가 그 상황에서 '하하, 살자. 그래도 살아야지. 사랑하니까 살아볼게. 병원도 잘 갔다 오고.' 할 수 있을 거로 생각했어? 너였으면 그렇게 말할 수 있어?" 서툰 마음으로 휘갈겨 쓴 편지는 다시금 너를 도망가게 할 것이다. 하지만 나는 두렵지 않았다. 너는 이번에도 내게 돌아올 테다. 사랑싸움을 끊지 못하고, 다시금 커튼을 치는 건 이 얄궂은 사명감 때문이겠지. 더는 믿음이라고도 부를 수 없을 만큼 부서져 버린 믿음에 의지해 우리는 서로를 사랑하고 있다.

작가 소개글

김동규   풍경이 아름답길래, 잠시 들러 소일 삼아 글을 쓰고 있습니다만 언젠가 이 여행도 끝이 나겠지요. 목적지가 어디든지, 오늘의 여행이 항상 풍요롭기를.

김민지   후회 없는 삶을 소원한다. 한순간도 놓칠 수 없는 행복을 위해. 나만의 소소한 순간을 즐긴다. 좋아하는 것을 보고 하루를 마무리하는 일상에 고마워하면서.

김수아   어쩌다가 글을 쓰게 되었습니다. 평범하고 이상한 날들을 보내며 이상하고 재밌는 글을 쓰려고 노력하고 있습니다. 이 글을 읽는 여러분들이 오늘 하루도 힘내시길 바랍니다.

김채윤   보이지 않는 것에 대한 글을 씁니다. 감각과 감정. 달콤한 글을 간결한 문체로 표현하는 것을 좋아합니다. 제 글을 읽는 모두가 행복해지길.

김현정   오늘의 내가, 내일의 나에게.
애정하는 것에 기대 나름의 열정을 쌓아갑니다.

김혜린   이러니 저러니 해도, 다정하고 통통 튀는 글을 좋아합니다. 기분이 좋아지니까요. 당신이 이 글을 읽는 시간도, 그렇게 되길 바라요.

김효진	세상의 모든 사물을 빗대어 묘사하는 것을 사랑하는 사람. 구태여 색을 물들이지 않고도, 오직 흑과 백의 명암으로만 세상을 담아낸, 고요한 침묵沈默을 닮은 한 폭의 수묵화를 당신에게 선물하며.
박나연	나의 눈은 더 이상 나를 달래는 우울을 쫓지 않습니다. 나의 손은 이제 나와 함께 할 행복을 씁니다.
신혜원	안녕하세요. 빛에 비춰지지 못하는 존재들을 대신 비춰주고자 하는 작가, 신혜원입니다.
안소이현	낭만파이고요, 초록을 좋아합니다. 저 지구 밑으로 가라앉을 때 처음 펜을 들었어요. 잠깐씩 어딘가에 빠져 살고요, 그러다 글을 씁니다.
이수정	문장을 그리고 디자인을 씁니다.
정선우	'결여된 사람의 이야기를 쓰고 있습니다만, 언젠가는 결여되지 않은 완벽한 사람의 이야기를 쓰는 것이 목표입니다. 어떻게 보면 앞으로 나아길 수 있는 인간이 되고, 그러한 인간의 가능성을 표현할 수 있는 글을 쓰는 것이 꿈이라고 할 수 있겠네요.'
정유리	3월이 동경하는 건 언제나 7월. 동경이란, 관조하며 관철하려는 노력.

달돋이

발행 | 2024년 1월 25일
저자 | 김소령 김채윤 김동규 김민지 김수아 김현정 김혜린
　　　김효진 박나연 신혜원 안소이현 이수정 정선우 정유리
펴낸이 | 한건희
펴낸곳 | 주식회사 부크크
출판사등록 | 2014.07.15(제2014-16호)
주소 | 서울특별시 금천구 가산디지털1로 119 SK트윈타워
　　　A동 305호
전 화 | 1670-8316
이메일 | info@bookk.co.kr

ISBN | 979-11-410-6872-1

www.bookk.co.kr